de Carmen et Richard

Mes 80 ans
2005

Les oiseaux
GOURMANDS

Conception graphique : Ann-Sophie Caouette
Traitement des images : Mélanie Sabourin
Retouche des photographies : Patrick Thibault
Révision et correction : Céline Sinclair

Certaines photographies et des extraits de quelques textes de l'auteur publiés dans ce livre sont déjà parus dans l'*Actualité médicale*.

Les deux phrases en exergue (page 7) ont été tirées d'un récit de Robert Lalonde intitulé *Le monde sur le flanc de la truite* publié en 1999 à Montréal aux Éditions du Boréal, dans la collection Boréal Compact.

Catalogage avant publication de Bibliothèque et Archives Canada

Léveillé, Jean

Les oiseaux gourmands

1. Oiseaux - Alimentation. 2. Oiseaux - Mœurs et comportement. I. Titre.

QL698.4.L48 2005 598.153 C2005-940184-2

02-05

Dépôt légal : 1er trimestre 2005
Bibliothèque nationale du Québec

ISBN 2-7619-2081-3

DISTRIBUTEURS EXCLUSIFS :

- Pour le Canada et les États-Unis :
  MESSAGERIES ADP*
  955, rue Amherst
  Montréal, Québec H2L 3K4
  Tél. : (514) 523-1182
  Télécopieur : (450) 674-6237
  * Filiale de Sogides ltée

- Pour la France et les autres pays :
  INTERFORUM
  Immeuble Paryseine, 3, Allée de la Seine
  94854 Ivry Cedex
  Tél. : 01 49 59 11 89/91
  Télécopieur : 01 49 59 11 96
  Commandes : Tél. : 02 38 32 71 00
  Télécopieur : 02 38 32 71 28

- Pour la Suisse :
  INTERFORUM SUISSE
  Case postale 69 - 1701 Fribourg - Suisse
  Tél. : (41-26) 460-80-60
  Télécopieur : (41-26) 460-80-68
  Internet : www.havas.ch
  Email : office@havas.ch
  DISTRIBUTION : OLF SA
  Z.I. 3, Corminbœuf
  Case postale 1061
  CH-1701 FRIBOURG
  Commandes : Tél. : (41-26) 467-53-33
  Télécopieur : (41-26) 467-54-66
  Email : commande@ofl.ch

- Pour la Belgique et le Luxembourg :
  INTERFORUM BENELUX
  Boulevard de l'Europe 117
  B-1301 Wavre
  Tél. : (010) 42-03-20
  Télécopieur : (010) 41-20-24
  http://www.vups.be
  Email : info@vups.be

Gouvernement du Québec – Programme de crédit d'impôt pour l'édition de livres – Gestion SODEC – www.sodec.gouv.qc.ca

L'Éditeur bénéficie du soutien de la Société de développement des entreprises culturelles du Québec pour son programme d'édition.

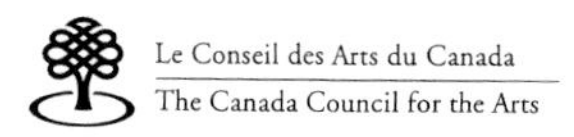

Nous remercions le Conseil des Arts du Canada de l'aide accordée à notre programme de publication.

Nous reconnaissons l'aide financière du gouvernement du Canada par l'entremise du Programme d'aide au développement de l'industrie de l'édition (PADIÉ) pour nos activités d'édition.

Les oiseaux gourmands

Jean Léveillé

J'écris pour cesser de savoir et pour commencer d'apercevoir et de sentir.

La terre n'est pas encore ressuscitée, l'hiver s'attarde,
les mangeoires sont pleines de geais et de chardonnerets bariolés.

Robert Lalonde
Le monde sur le flanc de la truite

À Jacques Laurin, en guise de sincère remerciement
pour ses judicieux conseils ayant permis la réalisation de ce livre.

préface

On m'a raconté récemment que les moineaux qui nidifient près des gares en France sont des indicateurs fiables des horaires des trains. Un peu avant l'heure annoncée de l'arrivée d'un convoi, ils se rassemblent aux endroits stratégiques et, aussitôt le convoi immobilisé, se précipitent sur le devant de la locomotive pour se nourrir des insectes qui s'y sont écrasés. On dit même que les locomotives rouges ont leur préférence. Risquons une hypothèse : pour les moineaux, les insectes seraient plus faciles à voir sur fond rouge.

Il ne s'agit que d'un exemple parmi les innombrables formes d'adaptation que requiert l'indispensable fonction d'alimentation chez les êtres vivants. On estime qu'actuellement il y a environ dix mille espèces d'oiseaux qui peuplent la terre. Chaque espèce survit en léguant à sa progéniture tout un ensemble de particularités, allant de la dépendance à un seul aliment toute la vie durant à la polyphagie de tous les instants. Chaque régime est maintenu par des habitudes de prospection ainsi que des attributs anatomiques et physiologiques uniques à chaque espèce.

Chez l'espèce humaine, depuis longtemps déjà, la curiosité (l'appétit de savoir, pour pasticher juste un peu...) a poussé naturalistes, chercheurs et auteurs à noter, à comparer, à décrire soigneusement l'alimentation chez les oiseaux. L'information est disséminée dans des ouvrages spécialisés et la plus utile est rassemblée dans de coûteuses collections savantes, au style morne. Ô, combien surprenantes sont les connaissances qu'on est à même d'y trouver ! Cependant, pour l'immense majorité, ces découvertes ne se font qu'au prix d'une lecture indigeste.

Jean Léveillé, lui, a choisi une autre voie pour nourrir la quête d'émerveillement. Et ce n'est surtout pas celle de la facilité ! Il y a tout d'abord les difficultés de la photographie. La pellicule est impressionnée en un cent vingt-cinquième de seconde, mais dans ce domaine il faut souvent des jours entiers pour obtenir le cliché retenu, après avoir dû s'adapter à un climat inhabituel et un trajet ardu, composant toujours avec l'encombrement du matériel. Et la rédaction ? Il est peut-être facile de décrire ce qu'on a vu, mais le révéler en se montrant capable de soutenir l'attention du lecteur jusqu'à la fin exige de remettre l'ouvrage vingt fois sur le métier. Jean s'y consacre, on le sent facilement, avec ardeur, minutie, opiniâtreté et joie. Il est de plus en plus rare de rencontrer une langue aussi savamment sculptée que celle de ses écrits. Elle étonne, fait sourire, émeut, séduit, distillant son propos à la fois avec art et rigueur.

Il me fait donc grand plaisir de vous convier au banquet littéraire et photographique que Jean Léveillé a préparé avec soin à votre intention. Ce n'est qu'un coin du voile levé sur un monde fascinant, mais la vue est magnifique !

Normand David

Directeur général de l'Association québécoise
des groupes d'ornithologues

INTRODUCTION

C'est à sa table que l'oiseau nous convie dans ce livre, une table fabuleuse autant par sa diversité et son originalité que par les stratagèmes que le gourmand élabore pour y accéder. Qu'il soit devenu un inconditionnel des mollusques, des insectes ou des nectars, il a, au fil du temps, modifié son anatomie et radicalement adapté son organisme à ses préférences, se dotant d'un bec en ciseaux, d'une langue pipette ou d'un casse-noix robuste.

L'oiseau a appris à marcher, à nager, à plonger et, pour distancer les rampants, ses lents adversaires, il a découvert la maîtrise des vents et de leurs caprices. Bien avant nous, il a goûté aux délices des voyages vers les contrées plus propices à la cueillette des fruits et des pousses tendres, à leurs semences et aux mille plaisirs d'une nature généreuse mais combien vulnérable.

Il a sensibilisé ses petits à l'importance du lendemain et leur a enseigné le secret des réserves si utiles en temps de disette. Aussi, après avoir dégusté la pulpe des fruits mûrs, il se charge de semer pépins et noyaux à tout vent. Il fréquente les fleurs, se régalant de leurs fins sucs tout en lissant ses moustaches, ces essentiels entremetteurs entre les pistils et les étamines qui assurent la survie de ses jolies pourvoyeuses.

Complice, la nature a aménagé le long de ses routes migratoires de précieux garde-manger aux innombrables ressources. Cependant, la société d'aujourd'hui s'obstine à éliminer ces terres inondées, ces lieux humides qu'elle considère comme inutiles et menaçants. Elle ne reconnaît pas cette vie voisine, ce fragile chaînon auquel nous appartenons.

Au fils des ans et des aventures, des guides au savoir extraordinaire ont attiré mon attention sur certains aspects de la faune ailée. Je leur dois beaucoup. Ils m'ont appris ce langage universel, celui de l'oiseau, qui rapproche les individus et rend si souvent les peuples complices. En leur rendant hommage, je désire, au moyen de ce livre, faire connaître la richesse de leur expérience et de l'héritage ancestral qu'ils s'efforcent de transmettre à leurs descendants.

Dans bien des circonstances, ils nous ont invités, ma conjointe Denise et moi, à échanger tout en partageant les plaisirs de leur table. Nous devenions alors, comme ils savent si bien traduire ces instants privilégiés, « frères et sœurs de nourriture ». Maintenant, la table est mise...

Le capucin donacole

Un amateur d'art au sein d'îles mythiques

Cent fois, mille fois, des mains douces et habiles malaxent une pâte d'argile grise, brune ou ocre pour l'adoucir, la rendre souple et malléable. Mille fois, les doigts s'arrêtent à bout de crampes, mille fois, ils reprennent la même approche sensuelle qui mouille la matière pour mieux la pétrir. Ils apprennent la maîtrise de ces caresses aussi délicates que celles de l'amour. Des caresses qui font fondre les plus résistants et s'enlacer les formes. Hérité il y a des siècles des maîtres de la poterie, le geste à la fois machinal et précis dépose maintenant le matériau sans forme sur la plaque tournante.

Le pied s'active et sous l'élan fébrile la pâte se creuse puis s'élève avant de retomber, victime de sa trop fragile consistance. Pour donner plus de corps à l'objet en train de naître, le façonneur de glaise ajoute un peu plus de terre avant de la polir et de la lisser par de nombreux effleurements. Une forme se dessine, se précise et s'affirme dans une sorte d'acharnement à devenir un nouvel objet. Des glaçures chatoyantes en feront une maisonnette de luxe pour quelque petit privilégié.

Emporté par la frénésie de son créateur déchaîné, le manège ne semble plus jamais vouloir s'arrêter. Nichoirs, mangeoires et accessoires de jardin encombrent l'atelier. Le bouche-à-oreille fait son œuvre et de partout affluent les acheteurs désireux de les offrir à leurs petits protégés tout en embellissant leur jardin d'œuvres originales.

La scène se passe dans ces îles du Pacifique aux noms mythiques : Moorea, Bora Bora... Derrière une abondance d'arbustes en fleurs et de palmiers, un jardin intérieur garni de plantes luxuriantes nous a surpris par ses céramiques, mais surtout par ses petits êtres de plumes enjoués. Autour des plus belles réalisations de l'artiste, des dizaines de petits capucins répètent

inlassablement quelques strophes qui se rapprochent plus des psaumes que des chants de séduction. Surnommés « capucins donacoles », ils sont originaires d'Australie ou de Nouvelle-Guinée. Mais la volonté des importateurs les a fait échouer dans ces îles lointaines. Beaucoup se sont envolés, préférant la liberté des bandes vagabondes. Mais plusieurs ont troqué l'incertitude des grands espaces contre la vie plus bourgeoise des jardins apprivoisés.

Revêtus de leur bure à dos brun, plusieurs fois par jour, les petits cloîtrés convergent pour répéter des vocalises en chœur. Leur face d'ébène, leur nuque et leur couronne grisâtres associées à une large bande de couleur ferrugineuse au-dessus d'un ventre blanc rendent ces petits capucins si charmants que depuis longtemps ils sont des oiseaux de compagnie fort recherchés.

Dans les prés, les broussailles, les savanes, les terrains humides ou le voisinage des villes et des villages, les *Lonchura castaneothorax* se déplacent en troupes de plusieurs centaines d'individus. On peut reconnaître le vol bondissant et parfaitement synchronisé de ces meutes qui s'abattent sur leurs mets favoris, principalement constitués de graminées, de millet, de riz et de sorgho. Parfois, de véritables ballets aériens poursuivent des nuées d'insectes ou de termites pour ajouter quelque variété à leur régime plutôt monacal.

Sédentaires, les petits capucins donacoles du joli jardin de l'artiste se pressent sans cesse autour des céramiques décoratives et en font leur logis. Bientôt, à travers les multiples ouvertures, on verra s'égosiller des petites têtes grisâtres teintées de

chamois qui rapidement prononceront les vœux de leurs ancêtres capucins. Enchanté de ce succès, l'artiste vous propose alors un café, le plus souvent un cappuccino, ce café au lait mousseux dont le marron-beige imite si bien la couleur de la robe du moine capucin qu'il en a pris le nom.

Harmonie et raffinement d'un petit éden discret où les gris et les bleus de l'argile côtoient le plumage chatoyant d'un petit moine émigré au cœur d'une île proche de ce paradis auquel tout capucin aspire.

Caractéristiques

Le capucin donacole : *Lonchura castaneothorax* • *Chestnut-breasted Mannikin* ou *Chestnut-breasted Munia.* Masque noir ; région pectorale brun-orangé vif se terminant par une bande noire ; dessus marron vif ; queue jaune doré. **Distribution :** originaire d'Australie et de Nouvelle-Guinée, il a été introduit en Nouvelle-Calédonie, aux îles de la Société (Bora Bora, Raiatea, Moorea, Tahiti) et aux Marquises.

sédentaires, les petits capucins donacoles du joli jardin de l'artiste se pressent sans cesse autour des céramiques décoratives.

FILTRER LES BOUES POUR RESTER ROSE

De l'eau assaisonnée de sel d'epsom pour imiter l'eau de mer, une couche de boue bien dosée étalée sur le corps et, en guise de finale, un bain d'algues pour redonner à la peau ses airs de jouvence. Voilà un traitement que proposent de nombreux centres de santé en vue d'apaiser quelque peu le corps et l'esprit. Une recette que le flamant rose ingurgite tous les jours pour la santé de son corps et l'éclat de ses plumes.

En abordant les rives du lac Nakuru au Kenya, je réalise un rêve longtemps caressé : contempler dans cette région de la grande faille est-africaine les immenses colonies de flamants, grands ou petits, au régime si unique, si particulier. Ils sont des centaines de milliers à se dégourdir les pattes en les agitant dans les eaux peu profondes.

Comme dans un ralliement de gourmets, chacun abaisse avec avidité son cou reptilien vers cette vase saturée de délices cachées. Astucieux, le gourmand s'est doté d'un bec plié en son centre pour réduire l'inconfort de ses articulations cervicales, mais surtout pour aspirer plus aisément la délicate saumure. La bouche pleine, il se redresse, puis, en renversant la tête comme le font certains dégustateurs, il agite et tournoie sa langue charnue afin de départager la boue, l'eau et ses nutriments.

Impressionnés par la texture velue de ce muscle lingual, les Romains de bonne fourchette appréciaient retrouver parmi les mets des grandes occasions cette précieuse partie de l'anatomie du *Phoenicopterus*. Cette tradition faillit faire disparaître bien des clans de flamants.

Bien malaxée, la curieuse mixture saline est filtrée par des lamelles qui retiennent la substantifique moelle et laissent écouler de part et d'autre de la mandibule la boue impropre à la consommation. L'échassier adore les algues bleu verdâtre délicatement assaisonnées de sel qu'il accompagne, selon les arrivages, de petits animalcules au goût relevé. Raffiné, le *Flamingo* apprécie surtout les crustacés bien marinés dans une saumure le plus souvent à point, mais un peu trop généreuse à l'occasion. Le dosage des caroténoïdes aux teintes rosées concentrées par les algues et les crustacés est particulièrement critique. Selon l'abondance de cet ingrédient, les plumes des flamants virent du rose pâle au rouge. S'il vient à manquer, les plumes demeurent blanches.

Les organisateurs de grands ralliements estiment que, en période faste, un million de participants peuvent ingérer jusqu'à cent cinquante tonnes d'algues en une seule journée. Une telle fringale nécessite une logistique d'approvisionnement que seuls de rares endroits spécialisés sur terre parviennent à maintenir. En eau salée, une trop grande sécheresse concentre parfois de douloureux bracelets de calcaire autour des chevilles de l'oiseau. Mal préparés à supporter cette lourde joaillerie, bien des jeunes trébuchent, s'épuisent et finissent par succomber.

Une catastrophe naturelle ou écologique entraîne-t-elle une interruption du cycle vital au sein de la nappe d'eau que, victimes de leur alimentation exclusive, sans autre choix, les plus faibles sont emportés rapidement alors que toute la colonie se retrouve en péril.

Parfois, entre mourir ou partir, les plus expérimentés choisissent de gagner des lieux où ils ont déjà connu l'abondance. Ils peuvent franchir en une nuit une distance de six cents kilomètres, rencontrer d'autres colonies installées en Afrique de l'Est ou en Afrique du Sud et parfois même atteindre l'Inde ou le Pakistan. Le plus souvent, cependant, la terre d'accueil est bien pourvue. Alors, un corps sain et vigoureux recherche inévitablement les plaisirs de l'amour et assure sa relève. La saison sèche ou la saison des

courtes pluies étant plus favorables, les couples auront un ou plus rarement deux oisillons. De nouveau, ils transmettront à leur progéniture la recette de boue et d'algues bien marinées en eau salée qui, depuis leur origine, assure aux flamants la santé des plumes ainsi qu'une palette de roses et de rouges aux accents uniques.

Caractéristiques

Le flamant rose : *Phoenicopterus ruber • Greater Flamingo.* Grand oiseau au long cou et au bec caractéristique; coloration allant du rose pâle au rouge; longues échasses. **distribution :** Antilles, Galapagos, Europe, Afrique; depuis le Moyen-Orient jusqu'en Inde. *Pages 22, 23, 24, 26-27 et photo ci-contre (à droite).*

Le flamant nain : *Phoenicopterus minor • Lesser Flamingo.* Le plus petit des flamants; long bec très foncé. **distribution :** grande faille est-africaine, Namibie, Botswana, Mauritanie, Sénégal, nord-ouest de l'Inde et Pakistan. *Photo ci-dessous.*

raffiné, le *flamingo* recherche les crustacés et les algues bien marinés qui lui assurent une palette de roses et de rouges aux accents uniques.

Le héron vert

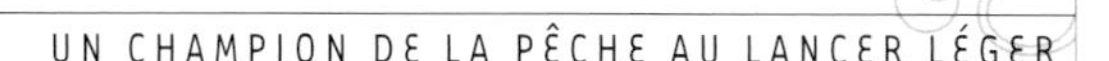

UN CHAMPION DE LA PÊCHE AU LANCER LÉGER

Nous nous sommes croisés à de multiples reprises, chacun camouflé sous un savant déguisement. Lui, derrière sa silhouette sombre qui parfois s'illuminait de vert, de marron ou de gris bleuâtre, selon les indiscrétions d'un soleil capricieux. Moi, sous mes pelures de combattant photographique, je retenais mon souffle tout en accélérant la cadence de mon déclencheur : clic, clic, clic. Fier de ses effets, l'astre matinal prenait un malin plaisir à s'attarder sur ma lentille et provoquait immanquablement chez mon ami le héron vert un trac démesuré. Il dilatait alors un peu plus son iris jaune, puis hérissait une huppe noire aux reflets verdâtres tandis que sa queue frémissait en saccades. Pour ajouter à sa sourde terreur, il se mettait à grogner, à glousser et à pousser des « quéaû » stridents.

Dans ces lieux humides, certains jours, un collègue pêcheur me devance. Tapi, totalement à l'abri des regards des deux locataires du marais, je les observe sans retenue. Élégant, maître de ses gestes, la casquette couverte de trophées, le professionnel semble obnubilé par sa parfaite maîtrise du lancer de mouches artificielles. Il n'a d'yeux que pour la fosse limpide et poissonneuse. L'autre, plus timide mais un tantinet moqueur, poursuit derrière quelques joncs un manège plutôt étonnant pour un héron.

Comme tous ses semblables, le *Butorides virescens* adore la pêche. C'est connu, les hérons privilégient les techniques de l'affût. Certains se dressent comme des piquets pour accroître leur champ de vision, tandis que d'autres se recroquevillent, immobiles, pour laisser les proies se rapprocher davantage. À la vitesse de l'éclair, le glaive assassin des uns comme des autres embroche soudainement l'imprudent et aussitôt le déguste.

Le héron vert, lui, préfère laisser approcher sa victime le plus près possible. Mais au rythme de son évolution, il a développé un goût bien particulier pour la pêche au lancer léger. En eaux douces, aux heures propices du matin, lorsque les brumes

déforment les objets, ou au crépuscule, lorsque la fatigue du jour rend la proie moins prudente, le vert coquin déploie un arsenal étonnant.

Jamais je ne peux me lasser d'observer un mâle ou une femelle à la taille légèrement plus délicate s'agrippant fortement à une vieille souche à fleur d'eau. Comme une élégante ballerine sur ses pointes, le patient héron oscille et, soudain, lance à la surface de l'onde, en guise d'appât, une mouche, un alevin, une feuille, un bout de mie de pain abandonné par un randonneur. Fin stratège, le sportif ailé a sans cesse raffiné ses pièges de telle sorte qu'on peut maintenant le voir manipuler une grande variété d'insectes et de plumes. La pêche est-elle inefficace qu'il reprend ses lancers un peu plus loin.

Quelques semaines plus tard, un couple enseigne à ses rejetons le lancer de la plume qui, le plus souvent, retombe à leurs pieds. Mais il se fait tard et la troupe doit regagner la sécurité des géants de la forêt. À coups de bec, d'ailes et de pattes, les adolescents reprennent l'escalade de l'écorce qui les met à l'abri. Un précieux conseil leur recommande de conserver dans leur jabot des

résidus du dernier repas. Un danger se manifeste-t-il qu'ils imitent les défenseurs des forteresses, prompts à déverser sur l'ennemi des huiles bouillantes. Avis aux intéressés...

Déjà, les vents maussades annoncent les grands départs. Le moment est venu de me séparer de ces pêcheurs nord-américains dont certains vont migrer jusqu'au Panama. En apercevant brièvement le vol de ces silhouettes furtives au cou recourbé sur les épaules, bien peu d'observateurs pourront attester qu'il s'agit des fantômes des marais si habiles au lancer léger. L'étang se glace. Mon collègue pêcheur range ses lignes et ses moulinets. Bon hiver et à l'an prochain !

Caractéristiques

Le héron vert : *Butorides virescens* • *Green Heron.* Coloration foncée, semble noir vu de loin ; pattes jaunes et dos verdâtre ou bleuâtre sous certains éclairages ; nerveux, il redresse sa huppe et bat de la queue en saccades. **Distribution :** Amérique du Nord, du Canada jusqu'au Panama.

en eaux douces, aux heures propices du matin ou au crépuscule,
le vert coquin déploie un arsenal étonnant.

Ils sont petits, ils se terrent dans les forêts obscures et humides de l'Amérique Centrale ou de l'Amérique du Sud. Un goût particulièrement développé pour les nectars exquis les a rendus différents et célèbres. Ils ont pour nom « guit-guit ».

Ils se laissent parfois observer, mais plus rarement photographier, le long des passerelles surplombant la végétation touffue de leurs discrets refuges. Mais depuis que des abreuvoirs aux saveurs délicieuses et veloutées sont apparus, bien des couples se précipitent vers ces relais sucrés. Les admirateurs de leurs livrées flamboyantes accourent de par le monde entier pour mieux les observer, pour se rincer l'œil.

Membres de la sous-famille des Thraupinae, les petits bijoux des tropiques ont progressivement adapté leur bec aux exigences des corolles qui se chargent maintenant de leur réserver quelques exclusivités. Allongé, recourbé et mince, leur appendice buccal les autorise à plonger au fond de la coupe au trésor où parfois une friandise en solde les attend. Il est fréquent, en effet, d'y croiser un insecte curieux qui, se croyant à l'abri des regards indiscrets, ne parvient plus à abandonner les plaisirs d'une douceur hors normes. Encore une gorgée, une dernière, et je m'esquive, semble-t-il se répéter. À l'improviste surgit le guit-guit qui en profite pour ajouter à son jabot quelques protéines afin de mieux équilibrer sa diète. Moins fortuné que son ami le colibri, capable de battre des ailes dans un surplace caractéristique, le *Honeycreeper* doit veiller à s'agripper solidement à la tige avant de plonger tête et bec dans le cœur de la fleur. Jouisseur, il déploie sa longue langue recourbée aux rebords frangés, pourléchant les parties intimes de la fleur et, par son extrémité en forme de tube, aspirant la saveur des saveurs. Mais le dégustateur des meilleurs crus doit se ressaisir, car en cette période de reproduction la famille exige une alimentation plus diversifiée pour acquérir les jolies plumes chatoyantes qui font la réputation des guits-guits. Avant de rentrer à la maison, les parents iront cueillir quelques petits fruits bien mûrs et amasser des semences que la pluie si abondante en ces montagnes aura rendues plus faciles à digérer. Progressivement, les jeunes apprendront les rudiments du guide alimentaire des petits *Mielero verde* et de leurs semblables.

Le guit-guit

UNE JOUISSANCE EXQUISE AU CŒUR D'UNE FLEUR

Pour atteindre la splendeur des coloris bleus, turquoise ou verts ensorcelants de leurs paternels, les adolescents devront mélanger quelques araignées et des dizaines d'insectes aux jus de fruits et aux nectars. Des bestioles qui, pour la plupart, batifolent sous les branches et les larges feuilles suspendues à plus de dix ou quinze mètres au-dessus du sol. Il faut être bien entraîné pour maîtriser toutes les techniques acrobatiques de la capture de ces rapides fugitifs. Après bien des frousses et des échecs, les jeunes pourront accéder au rang de vedettes, ce qui les rend si populaires auprès des éleveurs de nombreux pays. De tempérament facile, ces oiseaux au répertoire particulièrement agréable portent le surnom de « becs-fins ». S'agit-il de fines bouches, comme le disent les Européens, ou de petits capricieux, comme l'expression nord-américaine le laisse entendre ?

À notre retour, dès la tombée du jour, une bien curieuse surprise allait renforcer notre conviction qu'en réalité nous venions de croiser les vrais connaisseurs des nectars les plus délicats.

Autour des abreuvoirs regarnis de liqueurs fraîches, quelques ombres s'agitent. Des ombres furtives comme des fantômes voltigent, tandis que leurs cercles erratiques se rapprochent imperceptiblement. Puis, soudain, l'instant d'un éclair, une silhouette s'arrête et s'enfuit aussitôt. Bientôt, une succession de mignonnes chauves-souris rassurées se posent sur l'abreuvoir. À grandes lippées, elles s'enivrent de glucides pour compléter leurs agapes. Au milieu des éclairs de mon appareil, je remarque leurs regards épicuriens. Aucun doute, notre cinq-fourchettes est vraiment destiné aux fines bouches.

Caractéristiques

Le guit-guit émeraude : *Chlorophanes spiza • Green Honeycreeper.* Petit oiseau vert émeraude ; tête noire, œil rouge. **Distribution :** du sud du Mexique au sud-est du Brésil. *Pages 34 (femelle), 36 et 38.*

Le guit-guit céruléen : *Cyanerpes caerulus • Purple Honeycreeper.* Petit oiseau bleu brillant ; queue, ailes, gorge et sourcils noirs ; pattes jaune citron. **Distribution :** du sud du Mexique à la Colombie. *Pages 35 et 37 (en haut).*

pour atteindre la splendeur des coloris bleus, turquoise ou verts ensorcelants de leurs paternels, les adolescents devront mélanger quelques araignées et des dizaines d'insectes aux jus de fruits et aux nectars.

ABREUVÉE AUX MEILLEURS NECTARS, ELLE SÉDUIT…

« Coquette » en français et en anglais, *coqueta* en espagnol, les membres de cette illustre famille de colibris sont si beaux que diverses langues les ont ainsi nommés. Parfois de la grosseur d'une noisette ou presque, ils ont des allures d'arc-en-ciel. Ils vivent dans des forêts tropicales qui se soûlent de pluies incessantes. Reclus, groupés en sociétés secrètes, ils entourent leurs mœurs du mystère des arbres géants et des plantes aux fleurs exotiques qui les protègent et les nourrissent. Pour les découvrir, il faut se résigner à essuyer de multiples échecs et parfois bénéficier de la connivence d'un guide expérimenté.

Un couple se présente, complice dans sa méfiance et sa quête des plus riches nectars. Le choix est immense tellement la nature a créé jusqu'à la démesure une multitude de fleurs belles à ne plus avoir de terme pour les décrire. Dans l'intimité des corolles, des boissons exquises sont concoctées chaque jour. Ce matin, le duo s'agite en tourbillonnant autour de longues tiges de verveine coiffées de pétales mauves. Cette année, dit-on, ces minuscules fleurs auraient élaboré le plus grand des millésimes. La langue-pipette des coquettes huppe-col plonge au creux de chaque corolle pour aussitôt se précipiter sur la suivante. Agiles, les acrobates se croisent et échangent de brefs cris exprimant le bonheur de leur choix. À chaque lippée, je les sens frémir de satisfaction tellement le goût sucré paraît exceptionnel.

Repus, les visiteurs d'une occasion se posent dans les arbustes, à bonne distance l'un de l'autre. Une voisine importune surgit, des discussions s'engagent, mais rapidement l'audacieuse comprend que la place est prise et s'esquive. Le mâle profite des chauds rayons et agite ses plumes fanfreluches aux pigments multicolores. Séduction ou vanité, échanges de doux symboles ou reconnaissance de territoire, cela n'a pas réellement d'importance car le spectacle est sublime. Une tenue aussi extravagante ne justifie-t-elle pas cet excès de comportement qui sied si bien à une coquette, fut-elle de plumes ?

L'éclairage est parfait et me permet de discerner les verts iridescents, les rouges, les orangés et les blancs éclatants de cette tenue de gala. Une véritable inspiration comme peu de grands couturiers en ont.

La chance est unique et le moment, magique. Mais ce n'est pas tout, la partie supérieure de la queue retourne en tous sens des variantes de tons violacés, tandis qu'une collerette de longues plumes étalées en éventail autour des joues mime un arc-en-ciel piqué de multiples éclats verdâtres. Seule l'alchimie des exquises plantes tropicales peut générer de si beaux pigments. Pour partager avec les insectes le privilège de fréquenter ce garde-manger de luxe, le bel oiseau s'est laissé pousser une moustache à la racine du bec, une magnifique couronne de petites plumes qui, au moment opportun, effleure les étamines puis amène aux pistils voisins le précieux don qui perpétue la vie.

Au rythme du pillage de leurs forêts, plusieurs coquettes ont finalement migré vers les plantations des hommes et y vivent comme des réfugiés. Le petit lopin de terre de ces oiseaux bien mignons mais fragiles doit être défendu par des êtres plus costauds et agressifs. Stratégie astucieuse qui leur

évite de livrer combat et ainsi d'abîmer leur délicat costume. Beau mais volage comme beaucoup de colibris, le mâle coquette est polygame. Il rencontre brièvement une femelle et la courtise. Alors commencent vocalises et jeux de plumes. La femelle se montre peu impressionnée par la voix du conquérant, dont le succès dépend plutôt des stratégies de vibration et d'agitation des plumes.

Dans cette forêt inhospitalière, les mâles les moins spectaculaires seront laissés pour compte et se verront imposer une nouvelle période de célibat. Il leur faudra afficher une plus grande audace du paraître et savoir mieux jouer de la plume qui vibre pour espérer trouver l'amour dans ces lieux sombres. L'éconduit devra mieux reconnaître le millésime qui transforme les plumes ordinaires en une tenue irrésistible.

Caractéristiques

La coquette huppe-col : *Lophornis ornatus* • *Tufted Coquette.* **Le mâle :** petit bec rouge au bout noir; devant de la tête iridescent; longue crête orangée; collerette de plumes fanfreluches orangées aux extrémités vert iridescent; gorge vert émeraude. **La femelle :** pas de crête ni de col fanfreluche; dessous roux et côtés verts. **DISTRIBUTION :** l'est du Venezuela, Trinidad, depuis les Guyanes jusqu'au Brésil.

à chaque lippée, je les sens frémir de satisfaction tellement le goût sucré paraît exceptionnel.

L'oiseau-Lunettes

UN BIEN CURIEUX COMPAGNON DE VIE EN CHINE

Durant les premières heures de brume, au pays du milliard d'individus, de bien curieuses cages ocre, blanches ou brunes sortent dans les rues, sous le bras de promeneurs attentionnés. On offre une balade à son oiseau préféré un peu comme chez nous on se dégourdit les jambes avec son animal domestique. Ici cependant, on s'arrête dans des parcs coquets et on suspend les petits trophées aux meilleures branches. Heureux, ces derniers gazouillent leur état d'âme.

On pénètre dans une maison qui sent bon le thé, on en boit des essences brûlantes, on fume une pipe finement ciselée, on règle le sort du monde, puis les négoces peuvent débuter. Il y a les canaris, les grives et les bengalis, mais les discussions les plus animées vantent sans défaillir les plus fameux : les oiseaux-lunettes.

Mignons, enjoués et faciles à élever, ils font fureur en Chine. La majorité des quatre-vingt-dix espèces de *Zosterops* au plumage plus verdâtre vient de l'Asie, tandis qu'une petite minorité présentant des teintes un peu plus jaunâtres vient d'Afrique. Coquins, ils multiplient les aventures romantiques et s'amusent ainsi à confondre les amateurs et les spécialistes en génétique. Mais tous se caractérisent par un anneau blanc autour de l'œil, d'où leur surnom d'« oiseaux-lunettes ».

Lunettes ou double monocle, cette coquetterie aide à personnaliser le rang des uns par rapport aux autres. Mais, insistent les connaisseurs chinois, à l'instar de leurs belles compagnes, n'oubliez pas d'admirer les efforts de séduction déployés par les mâles pour se démarquer des voisins grâce à des vocalises plus mélodieuses et personnalisées. Au cours de ces joyeuses cacophonies, aucun rival ne veut se laisser écarter.

Les enchères s'enflamment. Certains *Silvereyes* s'agitent comme de vrais petits diables, n'ont d'yeux que pour les belles voisines des cages stratégiquement placées et finissent par émouvoir les acheteurs. Les habiles marchands multiplient les offres d'aliments variés que les chanteurs dévorent sans retenue. Surchargés de friandises, les nouveaux propriétaires comprendront un peu tard que les petits gâtés sont en réalité des traditionalistes préférant les graines, les fruits et les insectes.

Rapidement, dans cet empire millénaire où le temps a une consonance différente, les paroles des plus sages rappellent que les relations stables entre ces habiles chanteurs et leurs nouveaux admirateurs reposent plus sur des provisions de grillons et de criquets que sur des mets exotiques.

Aussi leur faut-il de nouveau courir chez ces marchands du diable pour se procurer de minuscules cages contenant de bien vivantes et appétissantes bestioles capables d'assurer à leur *Silvereye* les vitamines

essentielles à sa voix et à son caractère si typique. Mais ce n'est pas tout, car cet insatiable dégustateur de sucreries est incapable de tempérer sa fringale. Aussi, le maître doit-il lui-même déterminer les portions de nourriture pour contrer les excès de l'oiseau et déjouer sa fâcheuse propension à la gloutonnerie. Incontrôlée, cette gourmandise peut le conduire à de dangereux déséquilibres nutritionnels.

Comment un si mignon compagnon de la nature est-il devenu cette capricieuse diva en captivité ? Des excès d'attentions prodiguées par des générations de promeneurs de la brume l'auraient-ils rendu si maussade ? Notre seule impression a été que, dans cette immense ruche de l'Empire du Milieu, beaucoup d'hommes et de femmes aux préoccupations pas si lointaines des nôtres vivent une solitude et un anonymat si profonds que seul un compagnon de route, un petit confident à lunettes, peut parvenir à combler ce vide, même au prix de multiples concessions.

Caractéristiques

L'oiseau-Lunettes : *Zosterops • Silvereye.* Surtout vert olive ou jaunâtre ; cercle oculaire blanc ; caractère enjoué et agité ; chant très agréable. **Distribution :** principalement en Asie ; certains se retrouvent également en Afrique.

Le guillemot à miroir

UNE FOIS L'AN, IL REVIENT SUR TERRE POUR LA GOURMANDISE ET L'AMOUR

Comme un vrai marin, le guillemot à miroir passe la majeure partie de son existence au large. À l'occasion, c'est-à-dire une fois l'an, il revient sur la terre ferme pour l'amour. Discrets et timides, les couples quittent leurs régions circumpolaires pour retrouver ces falaises où eux-mêmes ont vu le jour. En plein crachin, un matin de printemps, quelques duos abordent les parois abruptes du Sud. Des discussions animées s'engagent pour accaparer les cavités les plus profondes et les plus inaccessibles car, sur le plateau du dessus, le prédateur salive déjà.

Le costume nuptial noir de jais du guillemot s'agrémente de deux larges éclaboussures blanches sur chaque aile, ce qui le démarque, dans les airs comme sur les flots, des macreuses à ailes blanches, un peu plus corpulentes. Mâle et femelle sont si semblables que, sans lunette d'approche, on a l'impression de chercher les Dupond et Dupont égarés dans une foule de Dupond et Dupont.

Dès la naissance de leurs deux rejetons aux plumes plus blanches et marbrées de touches noires, les parents font le guet, postés à l'entrée de leur petite grotte comme les membres d'une garde royale. À la vue de ces silhouettes immobiles, confondus par le brouillard matinal mais aussi par quelques vapeurs de rhum, les vieux loups de mer sur leurs voiliers crurent, à l'époque, aborder des îles habitées. Ils baptisèrent le discret gardien des falaises en uniforme «petit guillaume» ou «guillemot». Cette expression colorée plut et l'appellation contrôlée du *Black Guillemot* est aujourd'hui universellement reconnue.

De tempérament renfermé et austère, le *Cepphus grylle* vit en petites communautés parfois constituées d'une seule famille. Le matin, l'œil fixé sur l'horizon, il surveille cette agitation des flots qui signale l'abondance du capelan ou du poulamon, ses

mets préférés. Énergique, il nage à grands coups de pattes rouge vermillon et d'ailes robustes. Il sait que les plus belles prises croisent en bandes compactes à plus de vingt mètres de profondeur. Au dernier instant, la bouche écarlate s'ouvre et saisit un malheureux. Fier de sa prise, il revient à vive allure et s'arrête quelques instants sur son balcon. Il exhibe devant les voisins ce long trophée qui lui pendouille de part et d'autre du bec. Gavé de harengs, d'éperlans et de lançons, le rejeton atteint rapidement deux cent cinquante grammes, le quart de sa taille adulte. Incapable de voler durant les deux mois suivants, il pratique la nage et la pêche en solitaire. Fort et vigoureux comme le sont les êtres jeunes, il peut descendre en apnée à plus de cent mètres, mais cet hydrodynamisme restreint son agilité aérienne, encore limitée par des ailes trop courtes. Pour prendre son envol, il doit souvent décoller d'un point élevé, face au vent, ou courir de longues distances à la surface de l'eau.

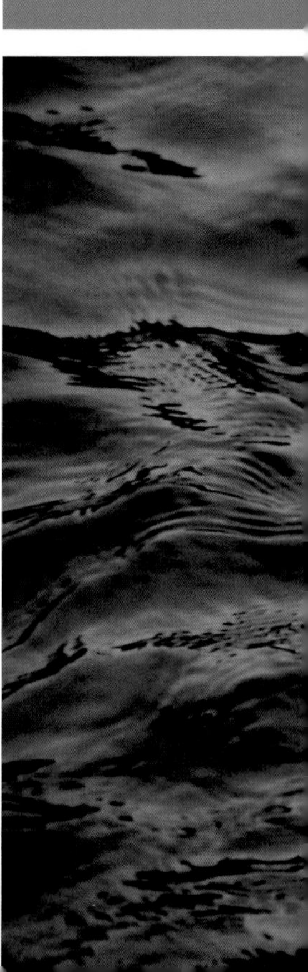

Pour varier un peu le menu, il se permet quelques plats à base d'invertébrés. Cent fois, mille fois, il retourne vers la mer froide mais combien généreuse. Il lui faut apprendre vite ces mesures de survie essentielles car, dans son patelin nordique, les conditions climatiques ne pardonnent pas. Pour atteindre l'abondant et succulent garde-manger, il doit régulièrement descendre à plus de quarante mètres sous les glaces. Pêcheur de génération en génération, le guillemot conjure les eaux glaciales des grands espaces nordiques de préserver leurs extraordinaires réserves alimentaires de plus en plus menacées.

Ainsi se déroule l'existence pas toujours paisible de ce petit guillaume, ce gardien d'îles oubliées. Une fois l'an, un peu comme un vieux loup de mer au long cours, il revient sur terre pour revivre les doux instants de la gourmandise et de l'amour...

Caractéristiques

Le guillemot à miroir : *Cepphus grylle • Black Guillemot.* Oiseau tout noir ; larges « miroirs » blancs ; pattes rouge vermillon. **Distribution :** espèce circumpolaire : régions arctiques de l'Ancien et du Nouveau Monde. En hiver, il descend jusqu'au Maine, au sud du Groenland, au sud de la Scandinavie, en Islande, en Écosse et en Sibérie.

Le mésangeai du Canada

UN GENTLEMAN CAMBRIOLEUR

Un jour de congé, l'hiver. L'allure est rapide, les skis avalent la piste et multiplient les virages téméraires. Les montées et les descentes se succèdent, l'esprit se détend, les muscles peu à peu s'épuisent. C'est le temps d'une pause. Un relais en bois rond, du soleil à revendre et des victuailles. Du pain frais, des fromages crémeux, des raisins secs et des noisettes s'offrent amicalement en partage.

Autour, la forêt engourdie par le froid respecte son silence. Pas un bruit, pas un murmure jusqu'à ce sifflement intrigant, harmonieux et lointain, suivi d'une cascade d'appels brefs aux accents rauques. L'impénitent bavard des forêts se rapproche et multiplie les rires étouffés pour mieux se faire reconnaître.

Soudain, rapide comme l'éclair, une ombre grise glisse au-dessus de la table et d'un coup de bec adroit s'empare d'un bout de pain bien tartiné. Stupeur pour plusieurs, excitation pour d'autres. Maintenant, du haut de son perchoir, le pique-assiette volant le plus célèbre ricane. En fait, ils sont plusieurs, quelques familles enjouées et turbulentes. Ils connaissent ces marchands d'aubaines, ces citadins qui certains matins se réunissent dans leur forêt pour le plaisir de la glisse et s'arrêtent au chalet rustique pour faire un petit gueuleton. Depuis des générations, les coquins ont mis au point bien des astuces qui les rendent sympathiques et surtout leur permettent d'apaiser cette faim tenace des mois d'hiver. Une valeur commune cimente les liens de cette bande de mésangeais du Canada, soit la règle de tout gentleman cambrioleur : s'il y en a pour un, il y en a pour tous. Le plus audacieux se présente de nouveau, cette fois pour un morceau de fromage. Les effractions se multiplient, plus habiles les unes que les autres et, de hardiesses en effronteries, les petits sans-gêne grappillent de succulentes gourmandises, au grand plaisir, il faut l'avouer, de leurs victimes consentantes.

De sa tanière toute proche, on entend maître renard soupirer d'envie. Ce maudit Arsène Lupin n'ayant rien d'un corbeau vaniteux, jamais il ne se laissera distraire ni ne laissera échapper un petit camembert. Car on a affaire ici au plus grand des voleurs, à cet écumeur des chantiers qu'autrefois les bûcherons appelaient affectueusement une « pie ». Était-ce en raison de son

tempérament de bavard que ce reclus des forêts entretenait la méprise ? Nulle victime ne s'est présentée pour en témoigner. Mais tous, au moment de casser la croûte, avaient appris à bien surveiller la cime des conifères, redoutant tout en l'espérant la venue du petit quêteur au caractère enjoué et peu farouche. Curieux, alléché par l'abondance des agapes, avec une légèreté surprenante, en sautillant de branche en branche, il se rapprochait et immanquablement repartait le bec plein. Aussitôt, il remontait en spirale vers le faîte du plus haut sapin. Position stratégique d'où son volumineux œil brun finement souligné d'une bande gris foncé inspectait une dernière fois les lieux du crime. Rassuré, le chef émettait un doux sifflement suivi d'incantations multiples et très variées, comme pour féliciter ses troupes du succès de la rapine.

Cette vie de brigand devait obliger le quidam à emprunter un grand nombre d'identités, allant de « geai gris » à « geai du Canada », pour finalement être fiché chez l'Interpol des oiseaux sous l'appellation plus conforme de « mésangeai du Canada ». Les véritables geais en furent soulagés, eux qui ne tenaient aucunement à être associés

à une bande de voleurs notoires, fussent-ils gentlemen.

Les Amérindiens le connaissent sous le nom de *wiss-ka-tjon* ou *wiss-ka-chon*, « celui qui, au hasard de ses vagabondages, dérobe les chairs plus ou moins faisandées ». Les coureurs des bois, sans doute distraits par quelques mélanges alcoolisés, ont compris *wiski jac* et multiplié les légendes impliquant un Whisky Jack aussi larron qu'enjôleur.

Reconnu pour son intelligence, ce joyeux luron de nos forêts épie depuis toujours avec bonheur la venue des randonneurs dont les sacs à dos regorgent de savoureux fruits de la tentation. En ce jour de liberté, comme il a été agréable de casser la croûte avec un gentleman, même cambrioleur !

Caractéristiques

Le mésangeai du Canada : *Perisoreus canadensis* • *Gray Jay.* Plumage gris perle ; front blanc ; nuque noire. **Distribution :** de l'Alaska jusqu'au nord de l'Arizona, du Nouveau-Mexique, du Dakota du Sud et du Minnesota.

Le gros-bec errant

IL S'EMPIFFRE COMME UN GLOUTON AU TEMPS DES FÊTES

Une petite chapelle presque oubliée à l'orée d'un bois à la campagne. Chaque année, à Noël, uniquement pour la messe de minuit, elle se réchauffe et ouvre ses portes. Une communauté s'y rassemble pour vivre la tradition et l'émotion d'un temps d'arrêt au milieu de l'agitation quotidienne. Un réveillon de partage, de bonne humeur et de gourmandise endort la maisonnée aux premières heures du matin. Au réveil, le sommet des sapins et de quelques feuillus dénudés s'agite de petites taches jaune et noir. Un murmure de gazouillements brefs rappelle les vocalises de la veille. Les petites taches se rapprochent, on dirait des moineaux agités, mais le ton est plus grave et posé.

Une estafette s'invite aux mangeoires. Cette femelle assure le premier contact. Le profil s'avère joli, malgré un bec volumineux. La tenue générale est recherchée. La messagère est accompagnée de nombreux invités. Coïncidence du temps des Fêtes, arômes d'une bonne table ou plus simplement pérégrination habituelle de cette troupe de gros-becs errants en goguette ?

Le menu est simple mais combien délicieux. Graines de tournesol grises sur fond d'écales noires agrémentées de quelques craquelures d'arachides et de maïs jaune. Un vrai régal, une véritable aubaine en cette saison où l'ordinaire se limite à des cocottes de sapin ou d'épinette au goût plutôt banal. Comme des affamés, sans autres civilités, les convives se précipitent. Des bagarres éclatent, des bousculades font voler les victuailles, le chacun-pour-soi triomphe de la hiérarchie. Un vif coup de bec, une langue qui replace chaque écale et les parois éclatent. À peine avalée, la graine riche en huiles aromatisées est gloutonnement suivie d'une autre. Beaux comme des éclats de soleil jaune et blanc, les mâles virevoltent en se menaçant. Les échanges sont aigres-doux : « C'est à mon tour espèce de goinfre ! – Laisses-en un peu pour les autres ! Pourtant, tu avais promis... » semblent répéter ces têtes noires à l'œil pétillant.

Les tenues sont du dernier chic. Tous se démarquent joliment sur fond de neige. Jamais rassasiés, les terribles gloutons vident les mangeoires à une cadence effrénée, prouvant que leur réputation n'est pas surfaite. Tout y passe, des noyaux de cerises qu'ils cassent dans un bruyant crépitement de mandibules aux arachides que leur palais enclume réduit rapidement en bouillie. Ils consacreront tout l'avant-midi à s'empiffrer comme des gargantuas. Une telle gourmandise provoque une grande soif que les plus prévoyants apaisent en se désaltérant au bain d'oiseau chauffant.

Pourtant, aucun n'est obèse ; de plus, ils sont maintenant légions, ces émigrants venus de l'Ouest. Vers la fin du XIXe siècle, attirées par l'abondance des chenilles – particulièrement par la prolifique tordeuse des bourgeons de l'épinette – et apercevant les menus variés des jardins de l'Est, des hordes vagabondes se sont confortablement installées. Au début de l'après-midi, les vols ondulants quittent les mangeoires pour se retrouver le long des routes et refaire le plein d'électrolytes en croquant quelques pépites de sels variés. Pour se faciliter la digestion et tempérer leurs excès, ils y mélangent de petits gravillons.

Assez curieusement, ces oiseaux de l'aurore et de l'avant-midi se prénomment en anglais *Evening Grosbeak.* Fait amusant rapporté par des adeptes du traditionnel *afternoon tea,* lesquels, dit-on, sont entichés du plumage doré du mâle, qui évoque les teintes du soleil couchant.

Au lendemain de festivités agrémentées par la visite impromptue des gros-becs errants, chacun des convives repart en emportant la recette qui plaît tant à cet oiseau. Un savant mélange de graines riches en huiles essentielles et de délicieux gros sel, les deux faiblesses de ce fin gourmet. Rivés à leur fenêtre, ils enjoliveront leur hiver en contemplant les petites merveilles qui se gavent des semences de ces tournesols qui, selon la chanson « n'ont pas besoin d'une boussole pour se tourner vers le soleil ».

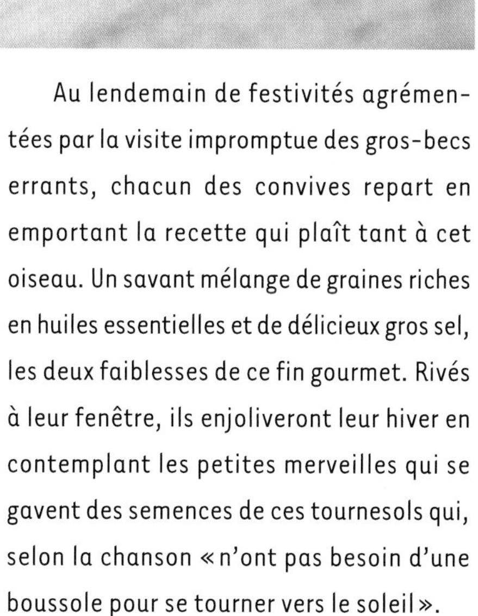

Caractéristiques

Le gros-bec errant : *Hesperiphona vespertina* • *Evening Grosbeak.* **Le mâle :** jaune doré ; bec fort et trapu ; ailes blanches et noires. **La femelle :** gris argenté. **DISTRIBUTION :** Canada, États-Unis et Mexique.

au réveil, le sommet des sapins
et de quelques feuillus dénudés s'agite
de petites taches jaune et noir.

Le merle

UN GASTRONOME RÉPUTÉ EN AMÉRIQUE ET EN EUROPE

À la ville ou en forêt, un nid de merles d'Amérique ou de merles noirs européens mobilise tellement l'énergie des parents qu'on les cite régulièrement en exemple. Car dans le minuscule appartement du couple, on trouve habituellement trois ou quatre grandes mandibules qui hurlent pour obtenir leur pitance. À peine apaisés, les goinfres redisent à pleins poumons l'insoutenable urgence d'un estomac toujours à moitié vide. Durant douze à quinze jours, les pourvoyeurs conscrits devront rivaliser d'imagination non seulement pour fréquenter les parcs et les jardins les plus productifs, mais surtout pour bien varier le menu.

Une alimentation équilibrée comme gage de santé, telle semble être leur maxime. Un tantinet gâtés, les petits réclament en premier le «caviar des merles», ces grouillants et combien délicieux lombrics. Pour être efficace, le chasseur doit maîtriser parfaitement la technique de la capture. D'abord, sautiller par à-coups sur une pelouse fraîchement humidifiée puis, immobile et légèrement penché sur le côté, l'œil vif, repérer les rampants récemment inondés et en quête d'air frais. Sans crier gare, il les saisit, les secoue en tous sens et les enroule autour de son bec comme de vulgaires spaghettis.

Amateurs de bonne bouffe, en tout temps, les «robins» recherchent la variété et l'originalité. Ces connaisseurs savent déceler la valeur énergisante des insectes les plus vigoureux.

Depuis plusieurs années, dans notre jardin, un amélanchier est devenu l'objet d'une surveillance bien particulière. Dès son arrivée printanière, un guetteur, toujours le même, nous semble-t-il, vient vérifier la santé de son arbre. Dès lors, une vigilance de tous les instants éloigne les importuns, même ceux de son propre clan. Au début juillet, enfin, les petits fruits deviennent rouges. Le merle avise sa conjointe et le carrousel des becs parentaux chargés à ras bord ne sera interrompu que par la tombée du jour ou par la fuite de madame, qui finit par abandonner la marmaille affamée au paternel. Dame merle part dans le voisinage

entreprendre une nouvelle vie avec un nouveau compagnon. Ces changements de partenaires forcent le mâle à travailler en heures supplémentaires pour assurer la survie de ses petits.

Notre arbre devient son garde-manger exclusif. Des litiges éclatent avec des nouveaux venus et le pauvre amélanchier ne retrouvera une certaine tranquillité qu'après la livraison du dernier fruit.

Des Nord-Américains rapportent parfois qu'ils ont observé un rougegorge en train de commettre certains larcins. Cette erreur sur la personne perpétue une méprise datant des débuts de la Nouvelle-France, lorsque nos ancêtres aux notions ornithologiques vacillantes avaient confondu notre ami le merle avec le rougegorge européen, beaucoup plus petit. Cet oiseau au nom évocateur n'a jamais mis les pieds sur notre continent, contrairement à son cousin, le merle noir, qui se serait payé des balades outre-Atlantique et se serait même permis des escapades jusqu'en Chine et en Inde.

Le parent européen privilégie également la bonne table et les mets délicats. Vers, chenilles, insectes multiples et larves, le tout agrémenté de nombreux fruits, constituent l'ordinaire.

Bon vivant, il adore les vignes bien lourdes. Rassemblé en bandes, il multiplie les raids qui font damner les viticulteurs. Parfois, victime de sa gourmandise, il s'empiffre de raisins si mûrs qu'il se soûle. En saison, son appétit pour les baies odoriférantes rend sa chair si délicieuse qu'à une certaine époque il est devenu un mets particulièrement prisé. L'espèce faillit d'ailleurs y laisser toutes ses plumes.

Apprivoisées par des années de fréquentation des humains, les dernières générations ont tout de même appris à garder leurs distances. Dans la cité moderne de plus en plus surpeuplée, fourmilière de l'anonymat, l'intrépidité du vite acquis et la sensation d'une vie facilitée par l'abondance ne doivent jamais diminuer les réflexes du petit guerrier des bois.

Parfois, la visite impromptue d'un merle de la campagne venu festoyer avec celui de la ville lui rappelle que, dans ses fables, La Fontaine savait en quelques rimes raconter les dangers de la ville et sublimer la quiétude de la campagne.

Caractéristiques

Le merle d'Amérique : *Turdus migratorius • American Robin.* **Le mâle :** poitrine rouge brique ; dos gris foncé et bec jaune. **La femelle :** semblable au mâle, mais de coloration un peu plus pâle. **Distribution :** Amérique du Nord. Il hiverne jusqu'au Guatemala. *Pages 64, 65, 66 (à droite) et 67 (à droite).*

Le merle noir : *Turdus merula • Eurasian Blackbird.* **Le mâle :** cercle orbital et bec jaune orange ; corps uniformément noir. **La femelle :** parties supérieures brun foncé ; parties inférieures brun plus pâle ; dessous de la tête et gorge grisâtres aux rayures brunâtres ; bec brun. **Distribution :** Eurasie, nord de l'Afrique, Inde, Chine ; présence occasionnelle au Québec. *Photo ci-dessus (à gauche).*

Le rougegorge familier : *Erithacus rubecula • European Robin.* Oiseau beaucoup plus petit que le merle d'Amérique ; face et poitrine orangées ; dessus brun ; ventre blanc. **Distribution :** Europe de l'Ouest. *Page 66 (à gauche).*

Le martin-pêcheur et le martin-chasseur

UN ART PRATIQUÉ AVEC PATIENCE

Ils sont tous des martins. Ils aiment voyager et ils ont conquis tous les continents. La seule mention de leur nom sème la terreur sous les flots comme dans les champs et les forêts. Au rythme de leurs exploits, certains ont choisi la pêche et d'autres, la chasse. La langue de Molière a voulu distinguer les uns des autres, tandis que la royale Angleterre a préféré le terme *Kingfishers.*

Des habitudes alimentaires aussi diverses allaient non seulement modeler leurs comportements mais faire varier leur apparence. Toujours ou presque, les pêcheurs comme les chasseurs ont compris la supériorité de l'attente patiente sur l'agitation et la précipitation pour traquer les téméraires comme les insouciants. Perchés à faible distance de leur cible, ces maîtres de « l'espère » consacrent un temps fou à choisir les meilleures pièces affichées au menu du petit déjeuner ou de la collation de fin de journée.

En Amérique comme en Europe, le plongeur prédomine. De son tremplin situé à quelques mètres au-dessus de l'onde, il se prépare mentalement. Excité par une proie digne de son habileté ou de son ambition, il ajuste une dernière fois sa cornée amphibienne et fonce brutalement. S'il est passé maître dans son art, il ressort avec l'infortuné et regagne son perchoir pour l'assommer avant de le déguster tête première. Sinon, il multiplie les essais avant de finir par se sustenter. Pour éviter d'être aveuglé par les miroitements de l'eau, il est également capable de voltiger en arrêt, mouvement que l'on appelle « le vol du Saint-Esprit ». De retour sur son mirador, le martin-pêcheur éclate souvent de rire en imitant l'appel rauque d'une crécelle « kiti-kek kek kek kek kek tiki kek ». Pour l'amateur, cette joie bruyante devient le seul moyen de repérer un être foncièrement farouche et difficile d'approche.

En Afrique et en Asie, les savanes asséchées et les forêts denses ont plutôt attiré les martins adeptes de safaris. Comme pour leurs cousins pêcheurs, leur diète plus diversifiée et mieux équilibrée exige patience et longueur de temps. Les criquets et les sauterelles figurent en tête de liste des proies recherchées. Selon les saisons, les termites, les araignées, les petits oiseaux et les frêles mammifères deviennent les cibles de leurs foudroyantes attaques. En guise de récompense, les plus téméraires s'offrent des scorpions et des petits serpents. Plusieurs manipulent négligemment leur trophée et, comme dans bien des épisodes de chasse malheureux, ils trouvent la mort. Les plus prudents achèvent leur victime en la battant furieusement, puis ils éliminent les parties les plus menaçantes. Insatiables, ils s'empiffrent puis font un petit roupillon tout en digérant la chair fraîche. Au réveil, ils régurgitent quelques pelotes d'écailles ou d'ossements indigestes.

Au temps des amours, une femelle vient-elle s'enquérir de l'habileté du *King* que celui-ci doit rapidement rapporter une belle prise. Dès lors, les tourtereaux multiplient les arabesques

et se dirigent vers la falaise aux appartements sablonneux où, à coups de bec et de pattes impatientes, ils creusent un tunnel de un ou deux mètres aboutissant à une pièce assez confortable. Les œufs toujours blancs sont vite remplacés par des oisillons à l'appétit insatiable. Sans pitié, ils se battent pour chaque ration jusqu'au moment où l'exaspération parentale force leur émancipation.

Rapidement, les jeunes pêcheurs doivent suivre des leçons intensives de plongeon et de natation, mais surtout apprendre à se méfier des reflets lumineux qui peuvent masquer de dangereux ennemis sous les flots. Car des grandes gueules rôdent et peuvent en une fraction de seconde modifier la donne, transformant l'avaleur en avalé. Quant aux jeunes chasseurs, les embûches sont aussi terribles. Plus tard, après avoir raconté leurs courageux faits d'armes, ils pourront accéder à la société des adultes, devenir des martins à part entière et figurer au palmarès de la célèbre famille des *Kingfishers*.

Caractéristiques

Le martin-pêcheur d'Europe : *Alcedo atthis • European Kingfisher.* Oiseau de petite taille ; dessus et trait malaire bleu-vert ; joues et dessous roux ; bec noir. **DISTRIBUTION :** de l'Europe jusqu'aux îles Salomon. *Pages 68 et 73.*

Le martin-pêcheur d'Amérique : *Megaceryle alcyon • Belted Kingfisher.* Oiseau de plus grande taille que le merle d'Amérique ; dos bleu ; pattes très courtes ; bec pointu et long ; tête grosse et huppée bleu noirâtre. **La femelle :** seconde bande roussâtre sous la bande bleue de la poitrine. **DISTRIBUTION :** Amérique du Nord et Amérique Centrale. *Page 71.*

Martin-chasseur de Smyrne : *Halcyon smyrnensis • White-throated Kingfisher.* Tête et ventre marron ; poitrine blanche ; dos, ailes et queue bleu vif ; bec rouge. **DISTRIBUTION :** de la Turquie jusqu'aux Philippines. *Pages 69 et 70 (à gauche).*

Le martin-chasseur à ailes bleues ou kookaburra à ailes bleues : *Dacelo leachii • Blue-winged Kookaburra.* Oiseau de la taille d'un corbeau ; tête et dessous blanchâtres ; ailes, croupion et queue bleus. **DISTRIBUTION :** Australie et Nouvelle-Guinée. *Page 70 (à droite).*

Perchés à faible distance de leur cible, ces maîtres de « l'espère » consacrent un temps fou à choisir les meilleures pièces affichées au menu.

La mouette de Rotorua

Un long voyage, une plage, puis des cris évocateurs qui se croisent et s'interpellent au-dessus de nos têtes. Une odeur de crème solaire et de vent doux. Dès cet instant, les vacances se concrétisent et commencent à jouer leur rôle aussi apaisant que régénérateur.

Ils sont là, ces goélands et ces mouettes que beaucoup idéalisent. Cependant, si on y regarde d'un peu plus près, on s'aperçoit qu'ils sont loin d'être des symboles de paix et de liberté. Toujours en appétit, ces voraces patrouilleurs du ciel dévorent sans retenue la moindre trace de victuailles. Ces touche-à-tout opportunistes sont de tous les festins, connaissent toutes les stratégies et jamais ne se laissent rebuter par l'état des lieux ou des aliments. Les mouettes sont les premières attablées dans les dépotoirs, les premières à harceler leurs semblables, à pirater un pêcheur plus habile ou un chasseur plus rusé mais moins agile. Combien de macareux, combien de puffins pourraient témoigner de la cruauté de ces insatiables gourmandes ? Au retour d'une pêche fructueuse, ils sont sans cesse soumis au taxage de ces véritables «gangs des airs». Les précieuses collations destinées à leurs petits si fragiles sont réquisitionnées par plus fort qu'eux. Un jeune est-il laissé sans surveillance, un copain se sent-il défaillir que les voraces appétits se précipitent pour participer à la curée.

Même entre elles, les jeunes mouettes deviennent odieuses et se livrent de terribles combats pour une simple bouchée de chair. Omnivores, rien ne les retient. Les fruits et les graines dont elles n'apprécient guère les saveurs en période faste se transforment en rations de survie lorsque survient une disette. Enivrées par l'abondance derrière les bateaux-usines, aveuglées par leur propre gloutonnerie, elles se jettent sur les restes éparpillés, oubliant les dents de la mer qui rôdent parfois.

En fin d'après-midi, au-dessus des villes, des bandes de plusieurs centaines se rassemblent pour terminer la journée par une petite balade et s'offrir un dessert. Elles se laissent emporter par les chauds courants et gobent des nuées d'insectes qui se prélassent innocemment avant d'aller dormir.

Depuis des générations, une réputation de goinfres sans manières, de rustres sans grande sagacité et d'adeptes de la malbouffe leur colle à la plume.

Et pourtant, dans une célèbre région de la Nouvelle-Zélande, quelques colonies de mouettes scopulines et de mouettes de Buller allaient nous étonner par le raffinement de leur table d'hôte. Partout, des geysers ou des lacs aux eaux chaudes distillent une odeur sulfureuse. Plus visuels qu'olfactifs, ces connaisseurs ailés salivent à la vue d'une faune abondante et fort réputée pour la tendreté de sa chair. Ces fins gourmets se rassemblent par centaines sur les plages blanches du lac Rotorua pour déguster un buffet chaud. Les festivals de petits poissons, de crustacés variés et de krill, auxquels se joignent des milliers d'insectes aquatiques, occupent la région et rehaussent les mets plus traditionnels.

L'attrait des menus annonçant une variété de petits plats chauds les empêche de porter attention aux dangers associés à ces lieux. Comme aux beaux jours d'un grand festin, tous se précipitent dans les eaux chaudes et minérales pour se darder sur les meilleurs mets. Alors surgit du fond une coulée d'eau bouillante qui, dans certains cas, leur inflige de douloureuses brûlures ou les rend infirmes à jamais. Les plus astucieuses réussissent à s'esquiver, les plus friandes se font prendre pour une bouchée de trop. On peut d'ailleurs repérer le long des berges d'incorrigibles éclopées qui, sur une seule patte, tentent de nouveau leur chance à cette loterie des meilleures fourchettes.

Amateurs de succulents scampis à point, même sérieusement handicapées, ces inconditionnelles des rives du lac Rotorua, consommatrices au goût subtil, se ruent en grand nombre vers des aubaines publicisées à grands coups de geysers sulfureux.

Parfois, le hasard d'une naissance en Nouvelle-Zélande plutôt qu'ailleurs fait bien les choses et offre à quelques privilégiées des occasions qui sont refusées au plus grand nombre. Mais rien n'est parfait et même le plus délicieux buffet nécessite parfois prudence et modération...

Caractéristiques

La mouette scopuline : *Larus scopulinus • Red-billed Gull.* Oiseau faisant la moitié de la taille du goéland à manteau noir ; corps blanc, dos et ailes perlés de gris ; bec court rouge ; pattes et pieds rouge brillant ; œil blanc jaunâtre cerclé d'un anneau rouge. **Distribution :** Nouvelle-Zélande. *Pages 75, 76 et 77 (en bas).*

La mouette de Buller : *Larus bulleri • Black-billed Gull.* Oiseau de la même taille que la scopuline ; tête, corps et queue blancs ; bec plus mince et noir ; pattes et pieds rouge noirâtre. **Distribution :** Nouvelle-Zélande. *Pages 74 et 77 (en haut).*

UN AMATEUR DE SALON DE BRONZAGE

Délicatement, le versant est de notre petite tente vire au beige translucide. En quelques instants, l'immense disque rouge salue la vie, qui accueille son soleil-roi avec empressement. Déjà, des beautés tout en splendeur étalent leurs charmes. Les célèbres Coraciidae sont au rendez-vous. Au rythme des jours, du Kenya au Sénégal, trois vedettes de l'illustre famille répondront: «Présent!»

Premier arrivé, haut perché sur une branche de la forêt clairsemée, le rollier à longs brins, mieux connu sous son appellation anglaise de *Lilac-breasted Roller,* m'observe. Timide, méfiant, il se cramponne nerveusement à son perchoir. Signal aphrodisiaque? Simple balancier? Il laisse flotter dans la brise tiède ses longs filaments de plus de huit centimètres. Sémaphores ou accessoires d'hypnose, ces lentes oscillations serviraient à amorcer les idylles.

Il a appris à se méfier des humains. Il connaît leurs ruses, redoute leur appétit de chasseurs mais, à l'occasion, il profite de leurs imprudences. Au moindre panache de fumée dans le lointain, il accourt, sachant combien la plus petite étincelle peut allumer un feu de brousse dans la savane desséchée. Aux aguets, il surveille la fuite de légions d'insectes effarouchés, réclamant quelques croustillantes proies en guise de droits de passage. Une fois rassasié, le gourmet retrouve son juchoir et, pour bien protéger sa popote ambulante, il chasse ses concurrents à grands cris rauques et gutturaux.

Mais d'autres membres de la confrérie afrotropicale rôdent. Parmi les audacieux, je reconnais le plus gracile, le plus léger, le rollier à raquettes. Mâle ou femelle, rien ne permet de distinguer ces vedettes aux plumes multicolores dominées par des tons de vert olive et des bleus aux variantes exquises. Amateur de forêts plus denses, il se laisse parfois tenter par une escapade dans les grandes surfaces des savanes, pourvu qu'un acacia restaurant réserve quelque salon privé à cet être discret. Là, son regard assassin épie les scorpions, les lézards, les scarabées et bien d'autres rampants avant de fondre à la vitesse de l'éclair sur le buffet servi à volonté en ce jour de fête.

De retour à table, théâtral, il décide le plus souvent d'avaler d'un seul trait la malheureuse victime. Au moindre geste menaçant, il la démembre sans pitié avant de la déguster. Satisfait de sa performance, le cordon-bleu ailé se pose délicatement sur les chaudes planches du sentier et se laisse immortaliser comme une star.

Après le repas, au pays où les compteurs d'eau affichent des prix exorbitants, ces « salons de bronzage » offrent des solutions de rechange populaires pour se détendre tout en se débarrassant des parasites importuns. Chacun s'installe pour une séance salutaire. Dans un premier temps, il importe de bien hérisser les plumes avant de s'affaisser sur sa couche pour mieux déployer les ailes et ainsi absorber la quantité de soleil qui fait du bien mais évite la dangereuse insolation. La grande vedette exhibe ses charmes de rêve tandis que le paparazzi se régale. Heureux, celui-ci atteint le Sénégal.

Bien qu'amateur de savane et de forêt clairsemée, le rollier d'Abyssinie s'y laisse aujourd'hui plus facilement séduire par les rassemblements villageois. Il adore les bêtes dans les pâturages qui lui offrent des légions d'insectes à chaque pas. Depuis des générations, il fréquente les terrains vagues, les parcs et les

champs de culture où abondent les chenilles et les coléoptères. Rassuré par la gentillesse de ses admirateurs, il leur offre parfois le spectacle de la capture à la volée d'un voltigeur ultrarapide qui croyait pouvoir se dérober à la faveur des grandes étendues.

Au pays du soleil en zénith, tous doivent respecter les heures du *farniente*. De leurs vols ondulants, flottants et silencieux, les acrobates et les jongleurs disparaissent. Les uns pour roupiller en des lieux ombragés, les autres pour se livrer à ces séances de bronzage qui les détendent et font briller leur plumage de rêve...

Caractéristiques

Le rollier d'Abyssinie : *Coracias abyssinica • Abyssinian Roller.* Tête bleu pâle ; front blanc ; dos brun-roux ; croupion bleu foncé ; longs brins noirs. **Distribution :** surtout du Sénégal à l'Éthiopie. *Pages 78, 80 et 82.*

Le rollier à raquettes : *Coracias spatulata • Racquet-tailed Roller.* Front blanc ; couronne et arrière du cou vert délavé ; longs brins terminés par des spatules. **Distribution :** surtout en Angola, en Tanzanie et au Mozambique. *Page 81.*

Le rollier à longs brins : *Coracias caudata • Lilac-breasted Roller.* Front et menton très blancs ; couronne et arrière du cou vert olive ; gorge et poitrine rose-lilas ; ventre bleu. **Distribution :** surtout de l'Érythrée à la Somalie et au Kenya. *Page 79.*

depuis des générations, il fréquente les terrains vagues, les parcs et les champs de culture où abondent les chenilles et les coléoptères.

Le merlebleu de l'est

UN JOYAU RESCAPÉ DES CIEUX NORD-AMÉRICAINS

Décembre. Un étroit sentier de glace faiblement éclairé guide mes pas vers la chaleur d'un refuge. Là, parmi ses photos et ses souvenirs, un rêveur solitaire prépare sa prochaine rencontre avec une légende, un joyau rescapé des cieux nord-américains. Sa main caresse une belle pièce de pin blond. Ses coups de rabot adoucissent les veinules et réveillent d'ensorceleuses molécules de résine parfumée. De la colle, du ciment imperméable et quelques clous assemblent rapidement de jolies maisonnettes aux teintes naturelles, parfois discrètement rehaussées de couleurs vives, mais le plus souvent recouvertes d'écorce. Sur les étagères, des dizaines de nichoirs à mésanges, à troglodytes et à moucherolles huppés ainsi que des condominiums pour hirondelles pourprées contemplent avec envie ces nouvelles demeures destinées au plus flamboyant des nicheurs.

Dès les premiers signes du printemps, ces habitations se retrouvent alignées sur des pieux et des clôtures, le long de l'itinéraire redessiné du merlebleu d'Amérique. Bientôt, une troupe en tenue d'apparat, splendide, comme toujours, sous un plumage bleu vif, s'approche de ce nouveau quartier. Quelle aubaine pour les mâles, plus habitués à sous-louer une cavité sous l'écorce vermoulue d'un géant des forêts qu'à loger dans un cinq-étoiles ! Dans l'excitation générale, les compagnons du dernier voyage claironnent à grands cris leur droit d'accaparer la demeure la plus spacieuse.

Après quelques jours de vocalises, les copines se pointent. Des couples se forment, on visite, on négocie, l'affaire est conclue, cette banlieue plaît. Méfiants, longtemps échaudés par des voisins envahissants et sans scrupules qui faillirent même les faire disparaître, les nouveaux venus ne tolèrent dans leur voisinage que de pacifiques couples d'hirondelles. Dans le loft, sans trop avoir vu venir, il faut bientôt partager l'espace avec quatre ou cinq petits gosiers affamés. L'innocente rêverie est chose du passé, on doit rapidement se ruer vers les grandes surfaces où abondent les fruits, les insectes et les chenilles. Pour les nouveau-nés de l'*Eastern Bluebird,* les diètes riches en protéines sont initialement recommandées. Au comptoir du cerisier, des chenilles contorsionnistes en costume vert tendre attirent les regards. L'aubaine de la semaine s'emporte à la douzaine. Un coup de bec change à jamais le destin de ces gloutonnes qui, plutôt que de se métamorphoser en charmants papillons, deviendront chair de *Sialia sialis,* ce nom de la science qui décrit si joliment le bleu azur du merlebleu de l'Est. Alors se succèdent les petits plats de larves, de criquets, de sauterelles croquantes et, en guise de dessert, une grande variété d'araignées dodues. Blottis dans la petite maison du bricoleur, les oisillons au plumage brun-gris marbré de blanc vivent une petite-enfance particulièrement choyée. Bientôt, les adolescents, dont la taille se situe entre celle du moineau domestique et celle du merle d'Amérique, s'aventurent dans le vaste monde pour goûter les délices des fruits de la saison. Si prodigue en cette époque, Dame Nature les comble de bleuets,

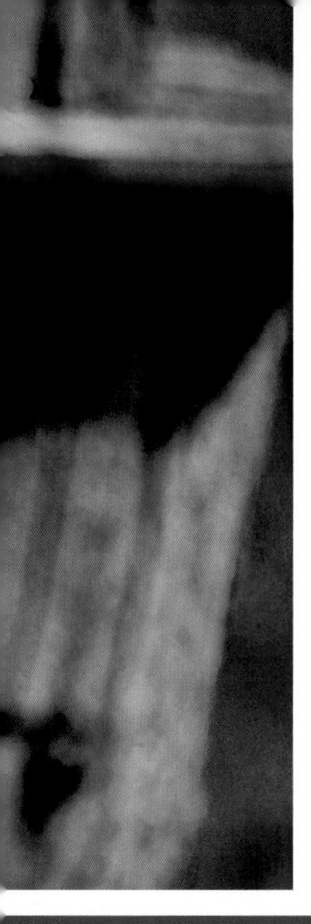

de fruits d'amélanchiers ou de sorbiers, des suppléments qui agrémentent leurs repas devenus un peu monotones au fil des jours.

Mais il est temps de partir et, prévenus du passage des petits nomades bleus en route vers leurs refuges du Sud, les chefs de relais gourmands auront garni à temps leurs comptoirs de beurre d'arachide, de fruits secs et de petites baies en guise d'amuse-gueule. Halte bien agréable pour les visiteurs et pour tous ces amants de la nature responsables du retour d'un des plus beaux joyaux nord-américains.

Un peu partout, le froid se fait de plus en plus mordant. Il est temps de retourner dans cet atelier où la résine sent si bon le pin qui, sous la main d'un bricoleur passionné, redessine le chemin du petit merlebleu de l'Est qui faillit un jour s'égarer.

Caractéristiques

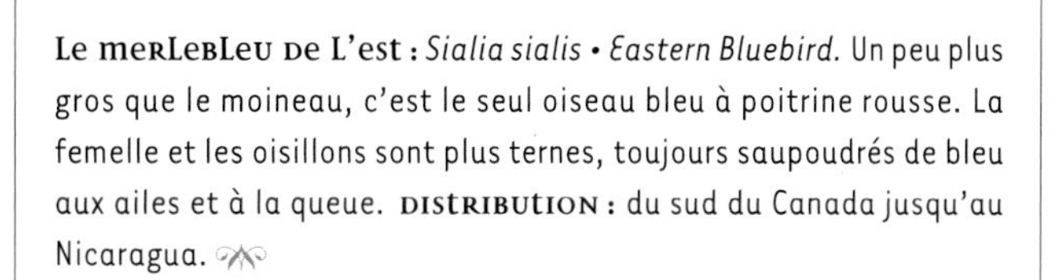

Le merlebleu de l'est : *Sialia sialis • Eastern Bluebird.* Un peu plus gros que le moineau, c'est le seul oiseau bleu à poitrine rousse. La femelle et les oisillons sont plus ternes, toujours saupoudrés de bleu aux ailes et à la queue. **distribution :** du sud du Canada jusqu'au Nicaragua.

Quelle aubaine pour les mâles, plus habitués à sous-louer une cavité sous l'écorce vermoulue d'un géant des forêts qu'à loger dans un cinq-étoiles !

1354

L'URUBU

DEPUIS LONGTEMPS, IL RECYCLE POUR NOUS

à des altitudes vertigineuses, une panoplie de points sombres s'entrecroisent, s'effleurent sans jamais se toucher. Grisés par les courants chauds du jour levant, les fossoyeurs du ciel resserrent soudain leurs rangs. Sans cri, sans précipitation, leurs tourbillons se rapprochent du sol. Aucun doute, à deux pas, une dépouille anonyme aiguise l'appétit de ces membres de la famille des Cathartidae. Bientôt, ce sera le festin.

À travers mon objectif, je reconnais ces premiers spécialistes du recyclage des Amériques. Contrairement aux vautours du Vieux Continent, ils n'ont pas d'orteil postérieur ni de cloison nasale. En réalité, l'hérédité des deux groupes est totalement distincte. Seules leurs habitudes alimentaires expliquent que certains amateurs confondent encore leurs origines.

Au début du siècle dernier, poussés par de puissants vents, deux ou trois urubus à tête rouge auraient franchi le vingtième parallèle nord. En goguette, ils auraient été surpris par quelque odeur de dépouilles d'animaux victimes d'un hiver particulièrement rigoureux. Plus renifleurs que visuels, ces *Turkey Vultures* font confiance à leurs larges cavités nasales et à leurs volumineux lobes olfactifs pour flairer la bonne affaire. Réservés et craintifs, bien avant nous ils ont appris à se méfier des restes trop odorants par crainte de leurs redoutables bactéries et toxines.

Maintenant de plus en plus nombreux dans nos cieux, ils planent, balançant avec élégance leurs ailes en forme de « V » triomphant. La moindre paresse du vent ou une accalmie qui s'éternise peut les clouer au sol et les affaiblir grandement. Parfois, les vivres viennent à manquer, mais les astucieux carnivores ont depuis longtemps appris quelques mesures d'économie d'énergie. Sans relâche, ils patrouillent le long des routes, surveillent les va-et-vient des humains autour des dépotoirs pour y faire bombance une fois le calme revenu.

Ces grands nécrophages ont parfois des goûts de solitude qui semblent les reposer des nombreuses exigences de la vie communautaire. Il n'est pas rare de voir un solitaire un peu trop affranchi de son groupe revenir bredouille et affamé à la tombée du jour. Penaud, il s'empresse dès le lendemain de joindre les rangs des plus expérimentés, se souvenant un peu tard des mises en garde des parents contre une autonomie trop rapide. Durant sa première année, il avait

pourtant bien docilement participé à toutes les activités familiales. Dans cette société un peu à part, les enseignements sont nombreux : il faut s'intégrer aux autres clans et mettre en place un collectivisme efficace mais régi par des lois complexes. Les premiers arrivés sur les lieux du festin doivent tenter d'éviter les bagarres inutiles en respectant le rang de chacun. Dans certaines régions, cette discipline un peu surprenante les oblige parfois à quitter prématurément un festin accaparé par des espèces plus agressives.

Tributaire d'une voilure essentielle à sa survie, l'urubu doit en prendre le plus grand soin. Pas question de muer comme cela se produit chez les autres espèces. Il faut renouveler chaque plume très lentement et compter plusieurs années pour se refaire une garde-robe apte à résister aux trous d'air paralysants.

Il passe de longs moments au soleil pour bien assécher son plumage, puis replace méticuleusement chaque pièce déformée par les rafales des longs vols planés. En cas de pluie, jamais il n'hésite à déployer ses plumes pour bénéficier d'une douche gratuite et retrouver la propreté qui obsède habituellement les charognards.

Dépourvu de syrinx, relativement silencieux, il émet parfois de discrets claquements ou chuintements. En cas de danger, il avise les petits en respirant bruyamment et en poussant de curieux grognements. Une fois le péril écarté, il retrouve les souffles chauds des altitudes qui le grisent et qui, lentement, en cercles de plus en plus rapprochés, le ramènent sur terre. À travers les Amériques, l'urubu à tête rouge ou son proche parent, l'urubu à tête noire, ces clandestins du ciel, ont compris bien avant les hommes l'importance d'un environnement sain. Et nous alors...

Caractéristiques

L'urubu à tête rouge : *Cathartes aura • Turkey Vulture.* Grand oiseau noir brunâtre aux longues ailes ; petite tête dénudée (rouge chez l'adulte, noirâtre chez le juvénile) ; bec crochu plutôt long. **Distribution :** les Amériques, depuis le sud du Canada. *Pages 90, 91, 92 (en haut) et 93 .*

L'urubu noir : *Coragyps atratus • American Black Vulture.* Grand oiseau noir aux longues ailes ; tête dénudée noire ; pattes noires. **Distribution :** les Amériques, depuis le sud des États-Unis. *Page 92 (en bas).*

Le geai

PEU CAPRICIEUX, IL FAIT FEU DE TOUT BOIS

L'endroit est paisible, presque monastique, et pourtant, sous la toiture, les nuits sont agitées et perturbent le sommeil. Des bruits de courses et de culbutes, échos d'une activité inhabituelle, se répandent dans les murs et l'entretoit. Partout des souris et des mulots s'amusent dans leur alcôve. Eux qui, en venant se réchauffer à l'automne, croyaient faire une bonne affaire tombent bien vite dans des traquenards qui les mènent de vie à trépas. Le lendemain, leurs dépouilles congelées sont exposées sur la rampe de la galerie. L'assemblée bruyante des gros-becs errants, des mésanges, des pics et de leurs amis s'empiffre aux mangeoires sans leur prêter la moindre attention. Soudain, un cri ; l'effroi glace nos attablés et les fait déguerpir.

Des ombres inquiétantes se sont profilées au-dessus d'eux avant de se poser au faîte des sapins voisins. La confusion est totale, la panique devient générale jusqu'à l'instant où les nouveaux arrivants sont enfin identifiés. Aucun doute, ces silhouettes trapues imitant celles des rapaces appartiennent à la magnifique famille des geais.

Un geai bleu plus audacieux se rapproche. Un chef, probablement, qui, sans se donner la peine d'une halte, kidnappe d'un coup de bec un petit rongeur statufié. En quelques fractions de secondes, les autres l'imitent, puis gagnent le sapinage ; la collecte est terminée, le plat principal est servi. Charognard mais pas assassin, le *Blue Jay* aime la bonne chère au point de ne pouvoir résister à la moindre tentation. Sa gourmandise et autres petits travers entretiennent sa réputation de mauvais voisin. Il aime fréquenter le nid des tourterelles et des innocentes perdrix pour s'offrir une omelette matinale, sans oublier de croquer les coquilles jusqu'à la dernière parcelle. Afin de tromper sa vilaine habitude tout en lui donnant un moyen pacifique de satisfaire ses besoins en calcium et autres minéraux essentiels, l'hôte du geai bleu aura intérêt à parsemer les environs de débris calcaires après avoir apprêté ses propres œufs sur le plat.

Pour épargner la chair tendre des oisillons d'espèces vulnérables, bien des amateurs sacrifient quelques pièces de bœuf, de poulet ou de porc à ces beautés de la nature. En saison, ces consommateurs insatiables adorent les céréales, le maïs en particulier. Peu habitués aux coutumes cinématographiques des humains, ils en préfèrent les grains non soufflés.

Ils pillent sans vergogne les jeunes pousses des champs et des jardins en leur arrachant la tête et parfois le corps pour goûter leurs semences même immatures. Et pourquoi ne pas s'offrir en guise de récompense quelques délicieux fruits mûrs tout en décortiquant les arachides en écales ? Sans doute pour se faire pardonner leur comportement envahissant et tonitruant, ils sont devenus d'excellents détecteurs de mouvement et de photographes. À la moindre suspicion, ils font un tel boucan qu'à moins d'être sourd tout ce qui respire disparaît.

Peu capricieux, les geais se sont adaptés aux différentes tables d'hôtes. Offre-t-on un midi du pain agrémenté de beurre d'arachide qu'ils accourent en bandes. Malheur aux insectes, aux lézards, aux couleuvres ou aux scarabées qui croisent leur regard : leur seule chance de survie, c'est la fuite. Cette diversité de goûts et d'habitudes alimentaires les met à l'abri de toute pénurie.

Prévoyant, le geai a, depuis des générations, appris l'importance de faire des réserves pour affronter les périodes de disette, beaucoup moins fréquentes depuis que les postes d'alimentation se sont multipliés.

Mais il tient à cette prudente habitude, sachant que la dispersion des semences des seigneurs de la forêt – chênes, hêtres et autres grands – assurera aux générations futures un refuge pour leurs amours.

Ces forêts refuges sont fréquentées en grand nombre par le geai de Steller, un cousin plus souvent observé sur la côte ouest du continent nord-américain. Ce fier porteur d'une bien belle huppe noirâtre préfère un costume plutôt bleu foncé. Parfois, les populations de geais de l'Est et de geais de l'Ouest se croisent. On échange alors les secrets des dernières découvertes alimentaires et on organise des festins dignes des meilleures traditions de la famille Corvidae. Ces agapes, qui constituent une occasion de s'apprivoiser les uns les autres et de fraterniser, laissent dans leurs rangs quelques jolis hybrides pouvant attester de la chaleur de rencontres inoubliables.

Caractéristiques

Le geai bleu : *Cyanocitta cristata • Blue Jay.* Oiseau légèrement plus long que le merle d'Amérique ; parties supérieures bleues et parties inférieures gris blanchâtre ; porte une huppe érectile et un collier noirs ; points blancs sur les ailes et la queue. **DISTRIBUTION :** Canada et États-Unis, surtout du centre vers l'est. *Pages 94, 96, 97 et 98.*

Le geai de Steller : *Cyanocitta stelleri • Steller's Jay.* Longue huppe sur la tête ; variantes de bleu foncé et de noirs ; quelques bandes noires sur les ailes et la queue. **DISTRIBUTION :** du sud de l'Alaska à travers l'ouest canadien et américain ; de l'Amérique centrale jusqu'au Nicaragua. *Pages 95 et 99.*

L'huîtrier

UN GRAND DÉGUSTATEUR DE MOLLUSQUES

La marée lentement se retire. Au large, une bien curieuse tache sombre émerge de la vague. Finalement, de belles rangées de pierres rondes ou plates recouvertes de coquillages apparaissent. À l'abri des prédateurs terrestres, la table d'un buffet pour fins gourmets est dressée deux fois par jour. À peine le menu est-il affiché qu'une bande de convives en échasses surgissent de nulle part. Impatients, ils lancent des cris stridents ou plutôt des sifflements aigus. De mon kayak de mer, je ne peux préciser la véritable signification de toute cette agitation, mais je crois déceler chez eux une grande impatience. Manifestement, ce sont des habitués et ils savent qu'un brunch exceptionnel de palourdes, d'huîtres ou de moules est de nouveau offert.

À la manière des grands seigneurs, ces familiers des bords de mer à la tête et au dos plutôt sombres bombent le torse pour mettre en évidence la bavette blanche qui protège leur poitrine des souillures d'un repas de mollusques. Comme les clients le font au marché du port voisin, ces profiteurs d'aubaines arpentent les étals à la recherche des derniers arrivages. Ils ont depuis longtemps appris que les indolents céphalopodes profitent de ces courts instants de marée basse pour respirer l'air libre et bâiller un peu au soleil. Une coquille légèrement entrouverte est-elle repérée que les plus habiles foncent et investissent la fente imprudente de leur bec pointu et mince. Ils connaissent bien la technique des experts de parties d'huîtres qui, en un tour de poignet, brisent la résistance de dizaines de coquilles. D'un mouvement brusque, l'agresseur ailé se retourne et interdit toute fermeture du mollusque piégé. Lentement, les forces de la

victime déclinent et le gourmet n'a plus qu'à avaler l'animal. À travers mon objectif, ébahi, je perçois la jouissance de ce connaisseur des délices de la mer. Parfois, les plus affamés, surtout parmi les plus jeunes, perdent patience et dardent la coquille de puissants coups répétés, espérant ainsi atteindre plus rapidement le savoureux repas. Le plus expérimenté reprend patiemment ses explications. Peu à peu, tous finissent par accéder, même maladroitement, à cet art exquis des dégustations offertes par une mer si prodigue.

Étourdis par l'abondance des mets offerts sans restriction en cette heure de solde, les plus gloutons confondent les espèces et ingèrent sans retenue coques, huîtres ou moules. Ce comportement a failli modifier l'identité de l'huîtrier, puisque plusieurs voulurent le désigner comme un moulier. En Europe, d'autres qui avaient constaté que son iris rouge ressemblait à celui d'une pie ont suggéré de le rebaptiser du nom d'« huîtrier pie ». Voulant mettre fin au débat, Carl Linné a suggéré le nom d'*Haematopus* ou « pieds couleur de sang ».

C'était sans compter sur la découverte subséquente d'un cousin vivant en Nouvelle-Zélande, dont les pieds bruns ou noirs contestaient la proposition suédoise. On finit par retenir le nom d'« huîtrier », d'autant plus que la puissante et omniprésente langue anglaise préférait la dénomination de *Oystercatcher.*

Rassurés, au rythme des marées hautes et des marées basses, les couples pratiquent leur métier de dégustateurs d'huîtres, dont les propriétés aphrodisiaques ne sont plus contestées.

Au cours des mornes mois d'automne, ne profitons-nous pas de cette mode huîtrière pour ranimer notre goût de la fête grâce à de mémorables parties d'huîtres ? Parties de plaisir et de gourmandise où l'on se régale de ce mollusque ainsi décrit par nos ancêtres : « Ce poisson qui se nourrit entre deux écailles, qui est fort estimé par les friands et qu'on mange tout en vie. »

Caractéristiques

L'huîtrier d'Amérique : *Haematopus palliatus* • *American Oystercatcher.* Tête noire, œil rouge ; grand bec rouge deux fois plus long que la tête ; dos brun ou noir, poitrine blanche ; pattes rose clair. **Distribution :** les côtes des Amériques, à partir du sud du Canada. *Page 102.*

L'huîtrier pie : *Haematopus ostralegus* • *Eurasian Oystercatcher.* Oiseau semblable à l'huîtrier d'Amérique, sauf qu'il a le dos noir et le bec légèrement plus orangé. **Distribution :** Eurasie, Afrique, Nouvelle-Zélande. *Pages 100, 101 et 103.*

Le héron garde-bœufs

UNE LOGISTIQUE ALIMENTAIRE GAGNANTE

Nous sommes tous un peu globe-trotters. Nos ancêtres et nous avons sillonné les mers, traversé les prairies et les déserts, franchi les plus hauts sommets. Téméraires, rien ne nous a résisté. Bien sûr, il a fallu compter sur les innombrables ressources de la vie disséminées aux quatre coins de la planète pour nous nourrir et pour étancher notre soif. Mais en plusieurs circonstances, seules une imagination fertile et d'astucieuses stratégies ont réussi à conjurer la famine, à éviter une fin tragique.

L'histoire célèbre bon nombre de ces exploits, mais sommes-nous vraiment autorisés à pavoiser seuls ? Une consultation des archives de la nature nous incite à une certaine retenue. Nous y découvrons en effet un bien curieux compagnon de route, un insatiable bohémien du ciel, le héron garde-bœufs. Le long de son parcours, ses innombrables pérégrinations et ses aventures sentimentales ont disséminé trois cousins : l'africain, l'asiatique et le naufragé des Seychelles.

À l'instar de nombreux immigrants, sa conquête fulgurante de l'Amérique du Nord débute au XIXe siècle, lorsque de petites bandes d'intrépides venus du sud de l'Europe et de l'Afrique franchissent l'Atlantique contre vents et marées. De gabarit plutôt moyen, le héron garde-bœufs possède les plus petites pattes et le cou le plus mince des hérons de même taille. Son plumage blanc immaculé est parfois, au temps des amours, nuancé de flamboyantes touches orangées aux accents chamois sur la tête, la nuque et le devant, tandis que le bec et les pattes semblent de feu. Ses amours se révèlent si prolifiques que, de nos jours, son poids démographique dépasse celui de tous les autres groupes de hérons nord-américains réunis.

Une telle explosion du nombre n'a pu réussir sans une logistique alimentaire bien planifiée. Comment, sans s'épuiser inutilement, a-t-il été capable de rassembler autant de victuailles pour les hordes émigrantes ? Délaissant les habitudes de ses semblables, qui exigent de grands talents de chasseurs-pêcheurs, une immense patience et un peu de chance, il a découvert les ongulés.

Ces herbivores de toute taille sont partout. Ils ont, seuls ou en compagnie de l'*homo sapiens,* envahi les pâturages, les forêts et les savanes de tous les continents. Chacune de leurs foulées chasse des myriades de bestioles affolées. Pour sa part, bien droit, aux aguets, le cou légèrement crispé, le héron épie les déhanchements lents et mesurés de ces poids lourds qui mastiquent bruyamment. Comme leur ombre, il trottine à leur côté et s'empiffre de tous ces étourdis qui volent, courent ou rampent en tentant de se mettre à l'abri. Que voilà, à peu de frais, une manne inespérée et sans cesse renouvelée !

Les plus récentes évaluations « héronniennes » révèlent que cette stratégie permettrait de doubler le nombre de captures tout en économisant plus du tiers de la dépense énergétique d'une quête solitaire. Au temps des moussons et des pluies, opportuniste, le *Cattle Egret* abandonne les sabots détrempés et embourbés dans la gadoue pour se précipiter par centaines et même par milliers au sein de héronnières déjà occupées par d'autres espèces. Pour se reproduire, il pille les matériaux de construction et jette par-dessus bord les jeunes

des autres hérons. Il gave ses rejetons d'amphibiens soûlés des pluies récentes, puis applaudit le retour du soleil, qui stimule les ébats amoureux des insectes. Il peut alors retourner vers ses talentueux « rabatteurs », occupés à fourrager les pousses neuves et tendres.

Exaspérés par les innombrables tiques qui les agressent, les ruminants multiplient leurs mouvements pour s'en débarrasser. Attentif, le garde-bœufs n'a jamais ménagé ses efforts pour soulager ses compagnons de route. Sans hésiter, il chevauche le bœuf, le cheval, l'éléphant et la biche, dévorant leurs poux et puces si incommodants.

Son appétit est grand et son menu, varié. La chance de manger à satiété sans peiner lui a en plus permis de gagner tous les continents. Une logistique aussi efficace mérite bien une mention particulière.

Caractéristiques

Le héron garde-bœufs : *Bubulcus ibis* • *Cattle Egret.* Héron de petite taille, trapu, presque entièrement blanc ; cou court et « menton » fort ; plumage nuptial aux accents beige rosé ; bec jaune, orangé ou rougeâtre ; pattes jaune verdâtre ou rougeâtre. **Distribution :** Amérique, depuis le sud du Canada jusqu'au Chili ; Afrique, Europe, Asie, Australie, Nouvelle-Zélande.

La chance de manger à satiété sans peiner lui a en plus permis de gagner tous les continents.

L'amauligak

LE PETIT BRUANT DES NEIGES, VENU DU PAYS DES INUITS

Par un matin glacial de décembre, sous un ciel sans nuages, bien des gens du Québec ont quitté leur coin de pays pour aller grossir les rangs des *snow birds* du Sud. Dans leur patelin, un nouveau venu s'apprête à les remplacer. Au loin, très loin dans l'immensité bleu sombre, une nuée blanche ondule, se contorsionne.

La troupe agile tutoie quelques arbres dénudés et s'arrête au sommet du plus grand. Des éclaireurs se précipitent au sol et foncent sur les maigres semences rassemblées par le nordet dans la cuvette d'un petit champ.

Comme chaque hiver, amauligak, le petit vagabond blanc un peu plus costaud qu'un moineau mais originaire des toundras circumpolaires, vient de fuir les morsures cruelles de la nuit sans fin. Les sautes d'humeur des terres de glace ont guidé sa fuite qui, le plus souvent, s'est amorcée en octobre. Très grégaires, des centaines d'exilés se répandent dans leurs refuges hivernaux en Amérique du Nord et en Eurasie.

Arrivés du pays sans arbres, ils ont l'habitude de dormir d'un seul œil à même le sol. Comme les Inuits du Nord, ils creusent de discrets igloos de fortune. Dans les champs, au lever du jour, on compte maintenant des dizaines de ces petits amas neigeux. Robuste, le campeur au sommeil léger préfère ce chacun-pour-soi à l'habitude des frileux de se coller les uns aux autres. Sans compter que souvent les rassemblements aiguisent un peu trop l'appétit des prédateurs. Dès l'éveil, les nuages gazouillants se reforment et vont neiger dans les champs de céréales en friche, dans les herbes des battures aux eaux encore libres et en bordure des routes où, délices des délices, ils picorent les cristaux de sel d'épandage.

Rompu aux dangers de la toundra, soucieux de ne pas trop se faire remarquer, le petit bruant des neiges grappille à peine le sol l'instant de deux ou trois bouchées. Moments si brefs et furtifs que les premiers colons français croyaient que la chair exquise de ces « ortolans d'Amérique » était due au fait qu'ils se nourrissaient principalement de neige. Sa saveur était si prisée que la capture effrénée à la lignette – un arceau de bois tissé de cordes fines avec en son centre un nœud coulant en crin de

cheval — a fragilisé sa population. Camouflé dans la neige et saupoudré de mil, le traquenard assurait à son propriétaire un généreux revenu d'appoint hivernal.

Pour les cuistots de bien des maisonnées, cette manne inespérée au temps des vaches maigres rehaussait le goût des tourtières et des pâtés. Une judicieuse interdiction de piégeage allait permettre aux joyeuses bandes de petits amauligaks de visiter le Sud en relative tranquillité.

Vers la mi-mars, les *Snow Buntings* mâles en costume nuptial blanc et noir attendent le redoux pour, sans prévenir, reformer les petits cirrus aux accents cristallins et disparaître.

Là où, sans attendre, le temps toujours galope, le plus nordique des oiseaux terrestres s'empresse de retrouver son lopin. Il le défend furieusement jusqu'à l'arrivée d'une belle dont la conquête déclenche ses voltiges et ses chants divins.

En peu de temps, les quatre à huit petites boules de duvet doivent maîtriser leurs premiers battements d'ailes pour échapper au renard et à l'hermine, mais ils doivent surtout apprendre les tactiques de la chasse aux insectes les plus grassouillets.

Lorsque le froid recommence à infliger ses meurtrissures, la mémoire ancestrale de l'oiseau retrouve cette route du Sud où le nordet rassemble la neige et la bonne nourriture.

Alors, par un matin d'octobre ou de décembre, guidé par les caprices du pays des longues nuits, l'amauligak des Inuits, petit tunnelier des neiges, annonce le début de l'hiver québécois. Les *snow birds* sont déjà partis mais, parmi les braves qui sont restés, certains scrutent le ciel bleu sombre de l'aurore. Soudain, un cri retentit : le petit amauligak, ce mangeur de neige est de retour ! Désormais, l'hiver peut neiger...

Caractéristiques

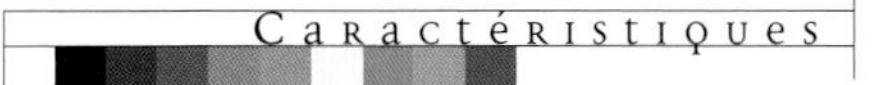

Le bruant des neiges : *Plectrophenax nivalis* • *Snow Bunting.* **L'été :** passereau blanc et noir ; marques alaires blanches ; bec, pattes et yeux noirs. **L'hiver :** blanc moustaché de roux ; un peu de noir sur la queue et l'extrémité des ailes ; bec jaune. **Distribution :** en été, il niche dans les régions circumpolaires de l'Amérique et de l'Eurasie et descend plus au sud en hiver. En Amérique : du sud de l'Alaska jusqu'au niveau de la Virginie. En Europe : dans la moitié septentrionale de l'Eurasie.

La mémoire ancestrale de l'oiseau
retrouve cette route du sud où
le nordet rassemble la neige
et la bonne nourriture.

UN ÉCLATANT TUNNELIER DES SABLES

Après bien des haltes infructueuses, une reine et ses sujets finissent par s'installer au creux d'un tronc d'arbre géant. Des butineuses acharnées envahissent les fourrés, pillent les pollens : une nouvelle cité du miel vient d'emménager.

Un tel bourdonnement attire infailliblement l'attention, faisant craindre le pire à certains opposants et entrevoir des jours meilleurs à d'autres. Quelle bonne nouvelle ! Un véritable cinq-étoiles de la gastronomie s'installe dans le voisinage. Ainsi s'enthousiasment de bien jolis cavernicoles, ces formidables traqueurs de coléoptères, de papillons et de libellules. Crâneurs et téméraires, capables des plus spectaculaires acrobaties aériennes avec des loopings et des volte-face brusques, ils préfèrent, et de beaucoup, croquer de dangereuses guêpes, vaincre des frelons courroucés ou dépecer des abeilles et des bourdons vindicatifs. Leur secret : éviter les terribles aiguillons.

Rarement bredouilles, fiers de leur adresse, ils ont repéré un grand nombre d'observatoires d'où, à la vue de tous, ils secouent vivement leur victime, l'assomment et lui arrachent le dard d'un brusque coup de leur long bec légèrement recourbé. Ils s'arrêtent quelques instants et, bien qu'immunisés, laissent écouler de l'abdomen ce venin un peu trop amer à leur goût. Mais la faim les tenaille et toute autre précaution n'est que perte de temps. Alors, ils avalent goulûment la bête velue. Tant pis pour les ailes, les pattes et les autres parties indigestes, insensibles aux sucs digestifs. Elles seront rendues plus tard à la nature sous forme de pelotes de la grosseur d'une olive.

Les plumages colorés et les voix tantôt flûtées, tantôt rauques se congratulent d'avoir accueilli cette ruche si fébrile. La vie sociale des *Bee-eaters* s'organise. Rapidement, les couples s'assemblent et

dès le début se lancent tête première sur la paroi sablonneuse. En alternance, à coups de bec piqueur, chacun des partenaires s'emploie à forer un tunnel pouvant atteindre jusqu'à trois mètres de longueur. Au moyen de leurs pattes robustes, ils évacuent d'impressionnantes quantités de débris pour aménager une petite chambre familiale au fond du tunnel. Les condominiums se multiplient à même la muraille de la falaise. Selon la consistance du site, les travaux prendront de dix à vingt-cinq jours à raison d'une avancée d'une quinzaine de centimètres par jour.

Le moment venu, de brillants œufs sphériques, fruits d'amours souvent scellées par l'acceptation d'une victime au miel, meublent l'appartement. Durant vingt à vingt-cinq jours, chacun assume la tâche de la couvaison, attendant avec impatience le moment de la relève pour se dégourdir les ailes et se sustenter de chairs poilues. Comblés par la démographie galopante de la ruche, les parents se hâtent de gaver leurs quatre à huit jeunes.

Rapidement, les plus costauds se hasardent jusqu'à la lumière et, horrifiés, aperçoivent pour la première fois des serpents et des rapaces dégustant leurs cousins trop aventuriers. Tous espèrent vivre jusqu'au temps des amours.

Comme l'exige la tradition chez les guêpiers, la jeune mariée est obligée de suivre son époux chez les beaux-parents. Ceux-ci ont conservé le secret espoir de voir leur grand les aider à nourrir

la nouvelle nichée plutôt que de vivre son propre bonheur. À peine les tourtereaux ont-ils creusé un tunnel qu'ils retrouvent, confortablement installé sur le seuil, un beau-père contrôleur des entrées et sorties. Encombrant, il multiplie les stratagèmes pour retarder, sinon interrompre, la construction du nid troglodyte. Sans cesse, il perturbe la vie du jeune couple, s'empare des belles proies que le galant rapporte à sa dulcinée. Manœuvres efficaces dans quarante pour cent des cas où, résigné, le nouveau marié retourne au logis familial pour aider ses procréateurs à élever ses jeunes frères et sœurs de miel.

En Europe, en Afrique ou en Asie, rarement voit-on se désaltérer ces oiseaux qui, depuis des générations, ont appris à maîtriser la soif. La leur semble se satisfaire de la seule vertu des humeurs d'un corps pelucheux buveur de sucs de fleurs aromatisées.

En liant son existence à une reine et à sa cour vagabonde, le guêpier avait-il réalisé que pour se nourrir il lui faudrait attaquer des essaims guerriers et mettre sa famille à l'abri sous terre ? La question se pose. Mais à voir sa fringale quotidienne, à observer la beauté des coloris nés de cette alimentation inusitée, la réponse se profile : c'était assurément une excellente décision.

Caractéristiques

Le guêpier à gorge rouge : *Merops bulocki • Red-throated Bee-eater.* Bec fin et recourbé ; masque noir ; gorge rouge vif. **DISTRIBUTION :** Afrique, du Sénégal à l'Éthiopie. *Pages 116, 118 (à droite), 119 (à gauche) et 120.*

Le guêpier nain : *Merops pusillus • Little Bee-eater.* Oiseau de petite taille ; masque et bavette noirs ; gorge jaune. **DISTRIBUTION :** Afrique. *Pages 117, 118 (à gauche) et 119 (à droite).*

crâneurs et téméraires, ils préfèrent, et de beaucoup,
croquer de dangereuses guêpes, vaincre des frelons courroucés
ou dépecer des abeilles et des bourdons vindicatifs.

Le fou à pieds rouges

UN FOU JOLIMENT DIFFÉRENT DES AUTRES

Pour s'aimer, les couples de fous volants se retrouvent le plus souvent sur une plage isolée ou une falaise inaccessible. À chaque saison, après leur long séjour en mer, ils se contentent de rafistoler hâtivement, au moyen de plumes et de fines herbes, leur modeste cuvette disposée à même le sol. Ensuite ils font la noce. Mais, trouvant ces festivités un peu ternes, un groupe d'originaux aux pieds rouges a entrepris d'y ajouter un brin d'éclat.

Était-ce pour émouvoir les voisins, incapables de s'offrir d'aussi resplendissants bottillons écarlates, que ces êtres à la mode ont choisi de vivre, pour la plupart, à quelques mètres au-dessus de la foule ? Question d'autant plus pertinente que ces couples monogames préfèrent trimer assez dur pour se payer un joli loft dans les arbres ou les arbustes. Sans doute influencés par la douceur de vivre de leurs îles tropicales, les amants de toujours peuvent décider de se reproduire à tout moment de l'année. Dans cet éden, l'assurance de trouver en abondance des délices marines de qualité module leurs pulsions procréatrices. Au temps choisi par ces oiseaux maîtres de leur destin, le logis d'une seule saison accueille un rejeton, le plus souvent unique, qui hurle sa faim dès son premier souffle.

À grands cris répercutés par les flots au-delà de l'horizon, l'enfant-roi attend avec impatience son mets favori, le calmar. Eux-mêmes grands amateurs de ce mollusque à la chair exquise, les parents peuvent parcourir plusieurs centaines de kilomètres pour satisfaire leur chérubin. Mais le *calamaro,* comme le chantent les cuistots italiens, ne se laisse pas si facilement capturer. Noctambule, il oblige ces fous de lui non seulement à adapter leurs pupilles aux chasses de nuit, mais surtout à surveiller attentivement les cycles lunaires. Les plus débrouillards ont appris, avec les temps modernes, à profiter de l'exubérant éclairage des bateaux de croisières pour mieux traquer le furtif cousin de la

seiche. Alors, réunis en bandes bruyantes et ivres de vent, ils virevoltent avant de fondre sur leurs victimes affolées.

Les vacanciers attardés sur le pont s'emballent devant les prouesses de ces *boobies,* dont l'appellation anglaise viendrait de l'espagnol *bobo,* qui signifie « clown ». Ils épatent la galerie en multipliant les poursuites acrobatiques pour capturer au vol le dessert des desserts, de jolis poissons volants.

Mais attention, sur le chemin du retour, en ces mers de conquêtes légendaires, les pirates veillent. Aguichées par ces becs remplis à ras bord des délices de la mer, les frégates, ces malhabiles pêcheuses, répandent la terreur. Comme des détrousseurs sans foi ni loi, elles déploient leurs majestueuses voilures pour rattraper sans peine les traînards. À coups de bec bien placés, elles se paient une fine cuisine à peu de frais. Les flibustiers d'une autre époque s'en seraient largement inspirés pour commettre leurs larcins.

Après cent quatre-vingt-dix jours de repas pris à la maison, le jeune va enfin pouvoir vivre la griserie du vol au long cours des adultes. Parti avant l'aube, il franchira à son tour des centaines de kilomètres

avant de revenir au seuil de la nuit, ivre de découvertes, mais surtout gavé de ses excès de table. Repu, il s'assoupit de nouveau dans son loft jouxtant le ciel.

Et là, bercé par le bruissement des cocotiers ou la furie des vagues, le fou aux bottillons écarlates va rêver à ce cousin du Nord assez insensé pour nicher par terre. Toutefois, pour accéder aux condos de luxe des îles paradisiaques du Sud, il faut montrer patte rouge.

Caractéristiques

Le fou à pieds rouges : *Sula sula • Red-footed Booby.* Oiseau à l'aérodynamisme superbe ; corps en forme de cigare ; ailes étroites et élancées ; polymorphisme variant selon les régions ; va du blanc au doré en passant par le brun ; yeux plus grands que ceux des autres fous (chasse la nuit) ; pieds rouge vif. **Distribution :** Caraïbes et sud-ouest de l'Atlantique ; îles du Pacifique et de l'océan Indien.

Grands amateurs de calmar, les parents peuvent parcourir plusieurs centaines de kilomètres pour satisfaire leur chérubin.

Le diamant

Des plumes aussi précieuses que les plus belles pierres

Son origine est africaine, comme celle des plus belles pierres du monde, et il porte le même nom, celui de diamant. Comme la vie à ses débuts, il s'est échappé de son continent ancestral pour joindre une Australie bien lointaine. Là, dans la discrétion et la quiétude, il a multiplié les exploits génétiques. Des noms exotiques ont souligné ses plus beaux succès : diamant à bavette, diamant de Kittlitz, diamant cinq couleurs, diamant mandarin, diamant de Nouméa.

Au XIXe siècle, des aventuriers européens en rapportent dans leurs cages au trésor. Aussitôt, le petit nouveau fascine et charme. Astucieux et enjoué, il s'adapte avec entrain aux exigences de la vie d'intérieur. Il chante la joie de vivre et chasse la grisaille du quotidien. Son succès est instantané et gagne toute l'Europe. La mode est contagieuse, elle fait la fortune des commerçants, qui multiplient les croisements et bouleversent ainsi l'équilibre démographique de l'espèce. De nos jours, les petits captifs surpassent en nombre et en diversité les troupes turbulentes qui s'ébattent dans l'immense *outback* australien.

Comme un prospecteur, je suis parti à sa recherche en choisissant la saison de la soif, qui le rassemble autour des rares points d'eau. Incapable de supporter la solitude, il se présente comme toujours en bandes joyeuses et agitées. Après s'être bien désaltérés, les oiseaux scintillants de couleurs se précipitent sur une multitude de graminées pour s'empiffrer.

Le petit trésor n'a rien d'un ermite. L'absence de compagnons et de compagnes métamorphose un être enjoué et vif en un sujet taciturne qui dépérit de jour en jour. Il sombre dans une morosité que les meilleurs supports psychologiques ne parviendront pas à contrer. Heureux, le petit joyau se précipite sur les céréales mixtes comme un gamin sur les desserts, se cramponnant aux meilleures grappes de semences. Pour faciliter sa digestion et renforcer ses os, il réclame rien de moins que des écailles d'huîtres. Un tantinet végétarien, il apprécie les épinards, les pissenlits et autres verdures pour leurs acides aminés qui l'aident à mieux adapter son régime aux normes actuelles. Au cours de la mue,

adolescents ou adultes apprécient les petites attentions telles que des grumeaux d'œufs apprêtés au goût du jour. Quelques vers de farine en guise de dessert valent une note parfaite au menu. N'y a-t-il pas magie à faire durer le plaisir d'un repas avec un savoureux dessert ?

Parfois, les maîtres organisent des concours de beauté. La poitrine zébrée de rayures noires horizontales du diamant mandarin lui donne vaguement l'air d'un arbitre. Insatiables, les éleveurs continuent d'exiger de leurs petits diamants de nouvelles prouesses pour le plaisir des yeux, bien sûr, mais aussi pour la satisfaction de présenter des innovations à leurs visiteurs. Ainsi se multiplient chez les *Taeniopygia guttata* les mutants blancs, les albinos, les marginaux. Ces excentricités d'une race déjà passablement choyée décuplent leur exceptionnelle popularité. La fantaisie et la rareté sont souvent recherchées dans notre quête du paraître. Brillant de tous leurs feux, les diamants précieux ou les diamants de plumes nous feront toujours rêver.

Caractéristiques

Le diamant à bavette : *Poephila cincta • Black-throated Finch.* Oiseau brun jaunâtre ; dessus de la tête gris bleuâtre ; lores, gorge (bavette) et menton noirs. **DISTRIBUTION :** nord et est de l'Australie. *Page 133.*

Le diamant à sourcils rouges ou diamant à cinq couleurs : *Neochmia temporalis • Red-browed Finch.* Sourcils, bec et croupion rouges ; dessus brun verdâtre ; dessous grisâtre. **DISTRIBUTION :** est et sud de l'Australie, îles du Pacifique. *Pages 128 et 130 (à droite).*

Le diamant de Kittlitz : *Erythrura trichroa • Blue-faced Parrotfinch.* Oiseau vert ; face et front bleus ; queue rouge. **DISTRIBUTION :** Australie, Indonésie, îles du Pacifique. *Page 130 (à gauche).*

Le diamant de Nouméa ou diamant psittaculaire : *Erythrura psittacea • Red-headed Parrotfinch.* Oiseau vert ; front, gorge et queue rouges. **DISTRIBUTION :** Nouvelle-Calédonie. *Page 131 (en haut).*

Le diamant mandarin : *Taeniopygia guttata • Zebra Finch.* Oiseau brunâtre ; joues et bec orangés ; gorge et poitrine grises rayées de noir. **DISTRIBUTION :** Indonésie et Australie. *Pages 129 et 131 (en bas).*

incapable de supporter la solitude,
il se présente comme toujours en bandes
joyeuses et agitées.

Le bécasseau semi-palmé

FÊTES GOURMANDES CHEZ LES NUAGES ARGENTÉS

Bien avant nous, une baie isolée du Nouveau Monde, la baie de Fundy, a découvert les plaisirs de la fête gourmande. Dès la mi-juillet, à la vitesse d'un cheval au galop, les eaux se retirent deux fois par jour en dressant un buffet immense.

Ainsi commencent depuis toujours de célèbres fêtes de la table qui reçoivent durant quelques semaines des millions de convives affamés. Le relais cinq fourchettes voit fondre du ciel des nuées de fidèles habitués et de néophytes. Ils seront entre deux et trois millions d'oiseaux de rivage, toutes espèces confondues, à faire escale à mi-chemin de leur périple de retour, un voyage de plus de cinq mille kilomètres. Ces nuées argentées regroupent habituellement de quatre-vingts à quatre-vingt-quinze pour cent de la population mondiale du *Semipalmated Sandpiper*.

Comme tous les pèlerins du monde, leur chemin de Compostelle est long et semé d'embûches. Ils arrivent épuisés et affamés. Ces globe-trotters ont quitté leur Amérique du Sud depuis le mois de mai et ont fait escale dans la baie du Delaware. Le minuscule État américain alimenté par les eaux peu profondes du fleuve Kansas avait des millions d'œufs de limules à leur offrir. Une fois bien rassasiés, ils ont regagné leur petit lopin boréal pour vivre une idylle éphémère et sans tergiversations. Dès l'éclosion des œufs, exténuées par leur maternité, les mères ont confié à leurs compagnons la défense des petits convoités par des rôdeurs malfamés. Les pères conscrits ont surveillé avec inquiétude la croissance des plumes d'envol des benjamins, n'attendant que les premiers mouvements malhabiles de leurs protégés pour prendre la poudre d'escampette sans remords.

La débrouillardise est devenue la règle. Le garde-manger périssable exposé à un vent de plus en plus mordant a rapidement incité grands et petits à prendre le chemin du retour. Les escadrilles de voltigeurs ont alors mis le cap vers cette baie aux agapes réputées.

À l'heure des repas, c'est la bousculade. Des nuages de bécasseaux, tantôt argentés, tantôt sombres, se précipitent des rives de l'anse comme des convives exacerbés par les arômes venant des fourneaux. Des entrepôts sous-terrains, des millions

de *Corophium volutator,* crustacé d'à peine cinq millimètres, profitent de l'accalmie pour respirer un peu d'air libre, l'instant d'une basse marée. Gorgés de lipides, ces délices de la mer sont picorées gloutonnement par des gourmets empressés de doubler leur poids. Repus, ils vont tenter d'atteindre les plages, les rizières et les mangroves de l'Amérique du Sud.

Certains gloutons se laissent parfois emporter par la fringale, puis, obèses d'occasion, ils éprouvent la plus grande difficulté à se soulever pour suivre les gazelles en tête du peloton. Cette riche alimentation fait l'envie des humains car, au terme du voyage, tous auront retrouvé leur poids santé. Des scientifiques se penchent sur le phénomène. Le plus souvent, le signal du départ est donné par des rafales nordiques, rapidement relayées par la brise des alizés.

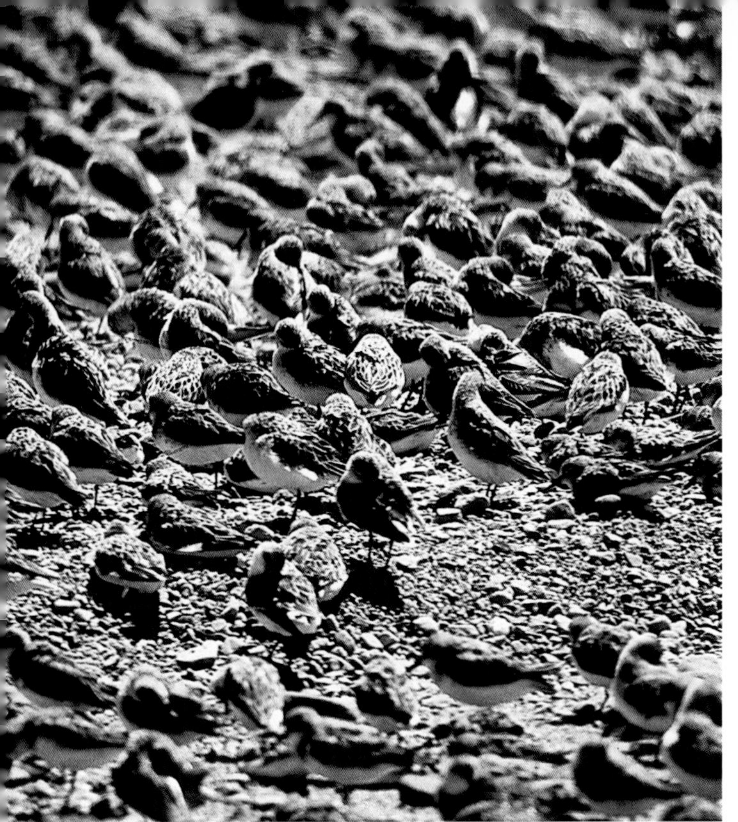

Dès le lendemain, livrée aux agitations du flux et du reflux des puissantes marées, la baie de Fundy prépare sa prochaine fête gourmande. Sous les furies qui émerveillent les curieux et les tiennent à distance, elle refait ses réserves. Ces nuages tout en beauté appelés « bécasseaux semi-palmés » s'en régaleront en esquissant des virevoltes argentées. Depuis le temps lointain des premiers Micmacs et bien avant, des légions de ce pèlerin du ciel s'arrêtent là pour faire bombance et déguster le délice des délices, le fragile *Corophium volutator.*

Caractéristiques

Le bécasseau semi-palmé : *Calidris pusilla • Semipalmated Sandpiper.* Oiseau de la taille des bruants ; pattes et pieds semi-palmés noirs ; bec court, droit et noir ; parties supérieures brunâtres ou grisâtres. **Distribution :** niche dans le nord de l'Alaska et le sud de l'Arctique canadien. Hiverne de la Caroline du Sud jusqu'au nord du Chili et au sud du Brésil. Routes migratoires : grandes plaines de l'Amérique du Nord, Côte Atlantique, baie de Fundy.

Le cygne noir

UN VÉGÉTARIEN À LA VOCATION SURPRENANTE

Durant des siècles, un des plus majestueux seigneurs de la faune ailée fut universellement vénéré. Tous vantaient la pureté de sa race dont le plumage blanc immaculé se démarquait de la faune habituelle. Puis ce fut la stupeur lorsque, un jour, à travers les brumes matinales, des fêtards aperçurent une des splendeurs entièrement noire. Le mécréant fut perçu comme un cygne désacralisé, comme un véritable pestiféré ne pouvant que présager malédictions et tourments. Jamais on n'a été capable d'imaginer qu'il pouvait s'agir d'une bête naturelle, que quelque part sur terre une contrepartie noire du demi-dieu blanc pouvait exister. Ainsi, le cygne noir a été rapidement associé à des vierges ensorcelées et sanguinaires, à des êtres méchants et dangereux dont il fallait se préserver.

Seul l'intrépide explorateur hollandais Willem de Vlamigh parvint vers 1697 à calmer les esprits et les passions en découvrant pour la première fois, aux confins du monde, dans une nature aux mille exclusivités, un cygne tout noir de la tête à la queue.

Originaire d'Australie, le *Cygnus atratus* est un grand végétarien reconnu pour sa fringale et sa détermination à brouter les plantes aquatiques avec une efficacité peu commune. Non seulement il se saisit des feuilles et des fleurs qui émergent de l'onde, mais d'un seul élan, ses pattes arrière font basculer son volumineux corps pouvant atteindre près de neuf kilos. Tête première, il étire un peu plus sa colonne cervicale déjà passablement élancée et racle le fond des marais, des rivières à faible débit et des lacs peu profonds. Son bec rouge agrippe les tiges et les arrache d'un coup sec. Une plante manifeste-t-elle de la résistance qu'il se redresse puissamment et la déracine. Satisfait, il émerge et, en connaisseur, il hache menu le stipe. Parfois, le jardin sous-marin offre en prime un appétissant tubercule. Sans perdre un instant, il le décortique et se délecte des innombrables saveurs de tous ces sucs patiemment élaborés au fil des années. Son iris rose, parfois rougeâtre, trahit alors cette jouissance incomparable des plaisirs de la table. Rien n'échappe à notre herbivore convaincu, pas même la plus petite des radicelles. Aperçoit-il en profondeur une plante rare ou une algue de belle texture qu'il n'hésite pas à plonger pour s'en régaler.

Dès le XIXe siècle sa réputation atteint la Nouvelle-Zélande alors aux prises avec une terrible menace. Des navires étrangers ont clandestinement semé d'innombrables algues et plantes aquatiques nouvelles qui menacent la végétation indigène et même la survie de certains plans d'eau. La nouvelle affole, on étudie mille solutions jusqu'au moment où le nom du *Black Swan* est évoqué. On vante son appétit vorace et sa fidélité au végétarisme, mais surtout son insatiable quête d'aventures gourmandes. On en fait venir une centaine de spécimens, puis — oh surprise ! — quelques années plus tard, des voiliers en ligne du *Cygnus atratus* se joignent aux immigrés. La nouvelle concernant l'existence de jardins aux ressources alimentaires pratiquement inépuisables est mystérieusement parvenue jusqu'en Australie. L'opération est un véritable succès, les arracheurs de la végétation maudite répondent aux attentes et fondent des familles. Au temps des amours, les couples se regroupent en d'imposantes colonies. Discrets, contrairement à leurs cousins et cousines immaculés, les duos se contentent d'émettre de faibles notes à peine audibles.

Bientôt, ils sont plus de soixante-dix mille seulement sur le lac Ellesmere. Ces hordes affamées envahissent les prés et découvrent bientôt un mets nouveau : le tubercule de la pomme de terre. C'en est trop, les voleurs doivent être sanctionnés, la peine de mort est rétablie. Chaque année, environ cinq mille feront la joie des disciples de Nemrod. Le dernier recensement aurait dénombré en Nouvelle-Zélande plus de cent mille de ces grands dévoreurs de plantes qui, en se sustentant, épargnent aux eaux libres les affres de l'enlisement et de la dégradation. En raison de son action salutaire, le diable noir a obtenu le statut d'espèce partiellement protégée...

Caractéristiques

Le cygne noir : *Cygnus atratus • Black Swan.* Le mâle et la femelle sont identiques, sauf que le mâle est légèrement plus grand ; plumage noir, plumes ébouriffées sur le dos ; plages blanches sur les ailes ; iris et bec rosâtres ou rougeâtres ; le juvénile est brun grisâtre. **distribution :** Australie, Tasmanie, Nouvelle-Zélande.

Dans un champ à pleine maturité, de jolies bractées de chardons géants s'agrippent à nos vêtements de vacanciers. Soudain, une tige plus robuste que ses voisines nous lance des « tetchi-ta-toui » et des « soui » moqueurs. Un joli « serin sauvage », éclatant de jaune, est en répétition. Véritable bête de scène, enjoué et populaire, il reprend ses airs les plus connus. Son petit bec conique rose légèrement maquillé de noir à son extrémité est intarissable. Pour ses représentations, il porte une calotte de jais couvrant le front ; sur scène, il s'agite avec frénésie en secouant énergiquement sa queue et ses ailes charbonneuses rayées de blanc.

Même les critiques les plus sévères vanteraient le brio de son spectacle. Fier et un peu orgueilleux, il prend ombrage si on le confond avec la paruline jaune, qui n'a aucun maquillage noir et possède un bec beaucoup plus effilé.

Du haut de ses treize centimètres, les tarses bien verrouillés à son perchoir végétal, il épie nos mouvements avec sa compagne un peu plus sobre. Souvent les premiers arrivés au printemps, les duos ont multiplié les récitals, se contentant le plus souvent de manger à la sauvette des graines recueillies au hasard et assaisonnées de nombreux insectes.

Mais juillet signe le temps de fonder une famille, car en juillet, les graines de chardon, mets préféré des chardonnerets, atteignent leur pleine maturité. Mâle et femelle attendent cet instant pour commencer la construction de leur logis familial, véritable prodige de camouflage dont l'intérieur est toujours recouvert de douces effiloches de chardon.

La saison passablement avancée n'autorise qu'une seule ponte. Dès la naissance des petits, les parents s'empressent de piller les touffes de jolies fleurs roses en forme de pompon, ce chardon des champs enfin mûr.

Les jeunes adoptent rapidement les céréales mélangées, combinaisons à base de délicieuses graines d'échinacées et de tournesol maintenant à pleine maturité, plus riches en huiles et en calories. Ce régime équilibré les prépare à leur migration très prochaine. Mais plusieurs décident d'étirer leur séjour pour profiter de tous ces petits silos remplis à ras bord par leurs *fans,*

ces inconditionnels de leur chant exquis. À la faveur d'une prolongation de séjour, les chardonnerets d'ici ont rencontré un très rare visiteur européen, le chardonneret élégant. Ce cousin lointain s'est présenté au Jardin botanique de Montréal.

Un peu timide, à l'écart, à peine plus gros que son parent nord-américain, l'exceptionnel visiteur en costume fauve alignait de très jolis contrastes : noir et blanc sur la tête, noir partagé en son milieu par une large bande jaune sur les ailes. Avec sa face et sa gorge rouge vif, il virevoltait autour des mangeoires en nous laissant découvrir une queue charbonnée, à l'extrémité dentelée de blanc, et un magnifique croupion d'albâtre. Se sachant en Amérique, il s'est présenté comme un *European Goldfinch*. Vénéré en Eurasie, il allie une grande beauté à son immense talent de chanteur renommé. Son chant est aussi coulant que celui des canaris, mais plus gazouillant que celui du chardonneret jaune. Très répandu en Europe, il aurait été introduit pour la première fois en 1878 à Hoboken, au New Jersey, d'où il aurait gagné New York, au début du XXe siècle, pour se multiplier dans la région de Long Island. Habitué aux bonnes tables, l'invité du jardin raconte combien ses petits adorent la bouillie blanchâtre qu'il leur prépare en mastiquant un savant mélange de graines d'adventices, de chardons et bien d'autres gâteries. À peine émancipés, les jeunes se répandent dans les champs pour se sustenter de graines de cardères et d'ombellifères – ces « mauvaises herbes », comme on les appelle –, car ces semences de la nature leur assurent dès l'automne les plus célèbres coloris de l'élégance.

Caractéristiques

Le chardonneret jaune : *Carduelis tristis • American Goldfinch.* Petit oiseau de la taille d'une paruline ; jaune serin ; ailes, queue et front noirs ; bec conique rose. La femelle est plus terne, jaune verdâtre. **DISTRIBUTION :** Amérique du Nord, depuis le sud du Canada jusqu'au nord du Mexique. *Pages 142, 144, 145 (en haut) et 147.*

Le chardonneret élégant : *Carduelis carduelis • European Goldfinch.* Oiseau multicolore ; face rouge, tête noir et blanc ; ailes noires traversées d'une large bande jaune ; croupion blanc au-dessus de la queue noire. **DISTRIBUTION :** Europe paléarctique et nord de l'Eurasie. Introduit en Australie, en Nouvelle-Zélande et au Long Island (États-Unis). Présence occasionnelle au Québec. *Page 143 et photo ci-dessous.*

véritable bête de scène, enjoué et populaire, il reprend ses airs les plus connus.

Le canard mandarin

CHOUCHOUTÉ AVEC TENDRESSE PAR UNE VIEILLE DAME DE BEIJING

Beijing, cette immense capitale de l'Empire du Milieu, un jour de septembre, près d'un petit lac. Une dame d'âge vénérable aux yeux bridés trottine discrètement en portant un panier tressé. Elle semble pressée, peut-être a-t-elle un rendez-vous important ? Je l'épie à distance. Au détour d'une anse, elle s'arrête et scrute les flots. De l'autre rive, un duo de canards émerge et nage à vive allure dans sa direction. Manifestement, la vieille dame et le couple sont familiers. À quelques mètres, je reconnais leurs plumes exquises. Mandarins de nom, asiatiques de naissance, leur titre de plus joli spécimen de la famille des Anatidae leur convient tout à fait.

Ils ont sûrement déjà entendu parler d'un lointain rival, un Américain – le canard branchu – aussi connu sous le nom de « carolin ». Moins volage, le couple oriental estime que ses engagements matrimoniaux sont définitifs. Les éternels amoureux viennent d'ailleurs tout juste de raviver leur passion dans l'alcôve du vénérable feuillu d'en face.

D'un geste calculé, presque religieux, la vieille dame découvre son trésor. Plantes de son jardin ou des champs voisins, noix mélangées, semences variées et, pourquoi pas ?, une panoplie de petits insectes plus morts que vifs. Jour après jour, fidèle, elle retrouve ses petits protégés, convaincue des vertus médicinales de cette recette héritée de ses grands-parents. Avec précaution, elle répand de délicats pétales roses, jaunes ou bleus en guise d'entrée. Suivent alors quelques poignées de riz sauvage, cette manne de l'Asie que les commensaux dévorent avec appétit. Puis une brassée de plantes fraîches gorgées de vitamines et d'oligoéléments dont elle ignore l'existence mais pressent les effets bénéfiques. Elle n'a pas à se préoccuper des plantes aquatiques qui abondent à côté des immenses feuilles de lotus parfois fleuries.

Maintenant, les canards s'animent, sachant que leur protectrice a mijoté à leur intention leur plat favori. Ce savant mélange d'escargots décapsulés, de poissons et d'alevins frais qui, une

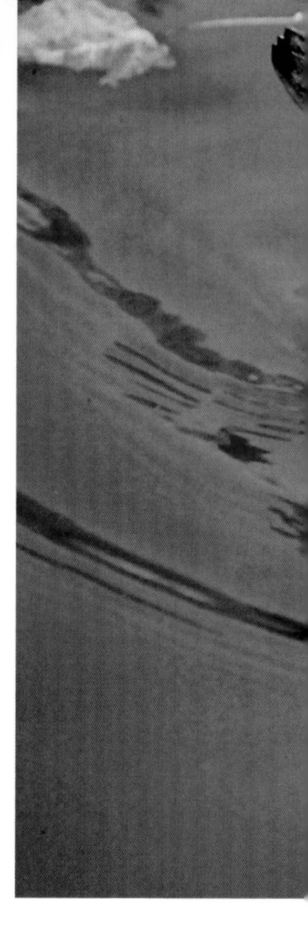

fois la semaine, pas plus, pour des raisons d'économie, dit-elle, fait leur délice. En guise de dessert, elle a concocté cette farine dont elle garde jalousement la recette, une délicieuse mixture d'arachides, de noisettes et de glands séchés. Après avoir témoigné leur appréciation à leur bienfaitrice, les petits privilégiés s'éloignent un peu pour se dégourdir les pattes et la récompenser en faisant miroiter leur joli plumage au soleil.

Au mépris de la rectitude politique, la génétique de la plume a encore une fois avantagé monsieur, qui arbore une tenue beaucoup plus spectaculaire que celle de madame. Conscient de sa beauté, il se pavane devant nous. La réaction est immédiate, les cliquetis de mon appareil photo fusent, ce qui lui vaudra sans doute un jour la page couverture d'un magazine et peut-être d'un livre.

De son oeil maquillé de blanc, sa compagne de toujours le rappelle à la modestie et à la retenue. Fier de sa beauté et de son élégance, le mandarin, tout comme son cousin branchu, refuse toute familiarité avec les canards étrangers. Prudent ou probablement avant-gardiste, le coquin s'est muni d'un bagage génétique si exclusif qu'il bannit toute mixité.

Des confins de la Chine et du Japon en passant par quelques pays importateurs, malgré sa réputation de plus grand séducteur de tous les canards, le mandarin voit sa population subir un déclin constant en raison de la perte de ses espaces vitaux.

Pas très loin de Beijing, sensible à la détresse des beaux mandarins, une dame d'un âge respectable quitte tous les matins son jardin de plantes aux vertus médicinales et leur apporte les mixtures de longévité dont elle tient la recette de ses grands-parents. Cette longévité à laquelle l'Empire du Milieu aspire depuis toujours...

Caractéristiques

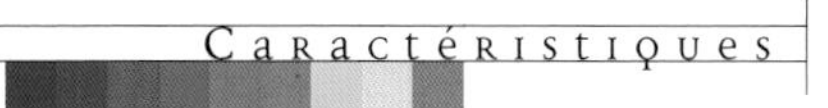

Le canard mandarin : *Aix galericulata • Mandarin Duck.* **Le mâle :** tête huppée aux tons de vert, d'orangé et de blanc ; dos olive ; queue noire ; plumes ornementales bleu et orangé. **La femelle :** gris brunâtre terne ; grandes taches blanchâtres sur la poitrine ; cercle blanc autour de l'œil. **Distribution :** sud-est de la Russie, nord-est de la Chine, Japon, certains pays importateurs.

La bernache du Canada

Comme tous les midis de ma première année en médecine, je quitte à la hâte le cours d'anatomie pour une adresse voisine où m'attend un repas chaud. Dès mon arrivée, je monte à l'étage et me glisse lentement dans cette chambre où bien peu de choses ont changé depuis vingt ans. Il est là, faible, amaigri, agité par la fièvre qui l'entraîne vers l'ultime voyage. Je touche sa main moite et tremblante, impatiente d'ouvrir une porte qui refuse encore de céder.

Lentement, ses paupières s'entrouvrent. Le mal qui depuis des mois sème le désordre dans ses pensées se fait plus discret. Il me reconnaît et s'apaise. La fenêtre entrebâillée laisse entrer les dernières douceurs, les dernières odeurs, les dernières sonorités avant son hiver éternel. Bruits de la rue, éclats de rire ou sifflement du vent qui achève d'effeuiller les branches l'indiffèrent, l'agacent même. Puis soudain, dans ce visage de souffrance, les yeux s'allument et retrouvent le regard qui m'a tant fasciné avant que le passage du temps le trouble. Il se retourne vers moi, tend lentement le bras et, comme au temps de mon enfance, il pointe du doigt, loin dans le ciel, une ligne noire, mouvante et floue ; il m'invite à l'écoute.

Volubiles, caquetantes, serrées les unes derrière les autres, les bernaches relèvent puis abaissent en cadence leurs magnifiques ailes. Des dizaines de voiliers à géométrie parfaite ou parfois un peu fantaisiste traversent le ciel bleu pour défiler une dernière fois devant son regard humide.

En ce jour si particulier, elles m'apparaissent encore plus resplendissantes, ces têtes à calotte noire qui allongent à l'extrême leur cou charbonné pour mieux exposer le col si blanc qu'un designer inspiré a tracé d'une joue à l'autre. Elles se posent dans le pré voisin pour grappiller quelques denrées oubliées avant de regagner leurs quartiers d'hiver disséminés depuis le sud canadien jusqu'au Mexique.

Moins nombreuses et plus graciles, les bernaches de Hutchins se mêlent sans complexes aux plus costaudes, les bernaches du Canada. Comme à l'habitude, elles arborent cet élégant costume qui les a rendues si célèbres de par le monde. Cette tenue unisexe figure toujours au palmarès des grands succès de son créateur. Leurs courtes pattes

noires aux pieds palmés, plus adaptés à la natation qu'aux défilés sur les planches, les forcent à se déhancher comme certains mannequins professionnels.

Mais les bernaches doivent prochainement repartir et la faim les tenaille. Avec avidité, de leurs yeux bruns plus grands que la panse, ces végétariennes insatiables cherchent leurs mets favoris. En saison, elles se sont bien régalées de toutes ces jeunes pousses qu'une nature particulièrement prodigue leur a offertes. Feuilles vertes, fruits et baies sauvages, joncs et bulbes dispensés à volonté aux tables d'hôtes ont agrémenté les nombreuses haltes des plus nomades.

Mais, de plus en plus sédentaires, à l'instar des gens modernes, elles se laissent tenter par l'herbe fraîche et combien plus tendre des pelouses citadines maintenant fort répandues à la campagne. C'est sans compter tous ces terrains de jeux ou d'affaires des golfeurs sérieux, dont les greens si parfaits offrent des semences à profusion à longueur d'année ou presque. Mais en ces jours automnaux, les denrées se font plus rares et les becs noirs arrachent avec frénésie les dernières pousses oubliées par les machines agricoles. Les plus perspicaces parviendront parfois à débusquer des insectes ou quelques crustacés et mollusques attardés.

Du Yukon à Terre-Neuve et jusqu'aux régions plus méridionales, d'impressionnants troupeaux se rassemblent. Grisés par les vents favorables, ils volent de jour et de nuit, guidés par les étoiles, la lune, le soleil ou de mystérieux champs magnétiques, et fuient les froids hostiles.

Par une fenêtre entrouverte, l'instant d'un adieu, l'appel de ces oies sauvages anime les paupières lourdes et fiévreuses du vieil habitué. Il les contemple avec nostalgie, ces *austrada* de l'ancien latin devenues au cours des siècles les *avis tarda* : les oiseaux lents, les outardes. Elles s'éloignent tandis qu'il glisse lentement vers l'inconnu, entreprenant son inéluctable migration. J'essaie de l'accompagner en écoutant, mêlé à son souffle court, le récit

d'anciennes légendes, de vieux contes de chasseurs médusés par ces oiseaux majestueux qui transportent, blottis dans leurs plumes, des volatiles plus petits, des bruants, des colibris épuisés par leur long exil. Légendes de chasseurs revenus bredouilles, récits de conteur imaginatif, peu importe. Pour la mémoire de ceux qui te suivront, je te promets qu'à mon tour je les raconterai. Adieu, grand-père !

Caractéristiques

La bernache du Canada : *Branta canadensis • Canada Goose.* Grand oiseau gris-brun au long cou très noir ; large barre blanche traversant le menton d'une joue à l'autre. **distribution :** Amérique du Nord ; introduite et bien implantée en Grande-Bretagne, dans le nord-ouest de l'Europe et en Nouvelle-Zélande. *Pages 156-157, on aperçoit deux bernaches du Canada qui encadrent une bernache de Hutchins.*

La bernache de Hutchins : *Branta hutchinsii • Cackling Goose.* Semblable à la bernache du Canada, mais plus petite. **distribution :** Amérique du Nord ; introduite et bien implantée en Grande-Bretagne, dans le nord-ouest de l'Europe et en Nouvelle-Zélande. *Pages 156-157, on aperçoit une bernache de Hutchins encadrée par deux bernaches du Canada.*

avec avidité, de leurs yeux bruns plus grands que la panse, ces végétariennes insatiables cherchent leurs mets favoris.

De la Floride à la Terre de Feu, des générations ont cru que cette face ronde et plate aux yeux jaunes comme des soleils levants était un hibou. Mais il lui manquait quelques jolies plumes dressées de chaque côté de la tête, ces délicates aigrettes propres aux célèbres noctambules. On a fini par conclure qu'elle était bien plus chouette que hibou.

Les premiers explorateurs avaient remarqué que de nombreux masques semblables se tenaient immobiles à l'entrée des cavités d'arbres centenaires et en avaient déduit que tous y habitaient. Mais c'était avant de découvrir certaines catégories plus originales qui, se prenant pour des taupes, camouflent leur famille dans des terriers abandonnés par les lièvres, les marmottes et autres experts tunneliers. Les plus hardies creusent elles-mêmes à grands coups de bec et de pattes des corridors sous-terrains de deux ou trois mètres menant à une spacieuse alcôve.

Les premières chevêches m'ont été signalées par des golfeurs. Ils se sentaient épiés par d'immenses yeux dorés qui scrutaient leurs élans rarement impeccables et qui échangeaient, semble-t-il, des clins d'œil pas vraiment chouettes. En réalité, dressées sur leurs longues pattes au sommet de petits monticules, ces vigiles protégeaient l'entrée de leur villa troglodyte.

Ces propriétaires ailés avaient chèrement monnayé les meilleurs lopins avec vue sur le golf et intimité à peu près garantie. Plusieurs golfeurs trouvaient bien chouettes ces oiseaux de nuit qui veillaient si tard le jour et enjolivaient leur parcours. Mais,

La chevêche des terriers

SON PASSE-TEMPS FAVORI : OBSERVER LES GOLFEURS

ayant égaré quelques balles, d'autres avaient pressenti que ce regard ardent pouvait parfois exprimer une certaine exaspération ou un instinct belliqueux. Les plus avisés n'insistaient guère. Une balle de plus, une balle de moins, qu'importe, se disaient-ils.

Peut-être avaient-ils compris que, toute menue soit-elle, la chevêche des terriers demeure un prédateur redouté. De nos jours, elle préfère de beaucoup les attaques diurnes aux chasses nocturnes. Les assauts sont moins furtifs que les fastidieuses poursuites des fantômes de la nuit.

Les jeux de la lumière matinale ou de la fin du jour exigent tout de même une meilleure connaissance des mœurs des proies. Un lézard dodu se faufile-t-il entre les pierres ? La chasseresse d'expérience le suit à pas mesurés. Elle respecte les distances et maîtrise son impatience jusqu'au moment où la course effrénée garantit raisonnablement la capture des précieuses protéines dont les nouveau-nés ont tant besoin. Bondir avec l'agilité d'une sauterelle pour tordre le cou d'un insecte méfiant, voilà une autre condition de survie pour cette résidente des terriers. Préserver le silence des lieux, se faire oublier jusqu'au moment où le regard assassin annonce la charge à pied, souvent ponctuée de voltiges acrobatiques, permet de mieux planter ses griffes acérées. Selon la grosseur de la prise, la plus externe des trois serres antérieures pivote et se joint à la plus postérieure, ne laissant aucune chance à la victime. Toute résistance est d'ailleurs immédiatement réprimée d'un coup de bec dévastateur. Le va-et-vient des parents au bec chargé de friandises

Caractéristiques

La chevêche des terriers : *Speotyto cunicularia • Burrowing Owl.* Petite chouette brune tachetée de blanc, haute sur patte ; face ronde, yeux jaune citron. **distribution :** depuis la partie ouest de l'Amérique du Nord jusqu'au Honduras ; en Floride, aux Antilles, en Amérique centrale et en Amérique du Sud. De nombreuses sous-espèces sont réparties depuis la Floride, aux États-Unis, jusqu'à la Terre de Feu, au Chili.

sera incessant jusqu'au départ du dernier golfeur. Souvent, je m'attarde, observant discrètement leur intimité retrouvée, cet instant de grande tendresse où les pourvoyeurs raffermissent leur union en échangeant un dernier lézard. Dans l'embrasure de leur renardière, le regard de feu des petites chevêches des terriers finalement réunies s'apaise. Au loin, les cris plus lugubres de leurs cousins de nuit ont repris. Loin de les envier, bien à l'abri des prédateurs dans son refuge, la petite famille troglodyte rend grâce à ses chouettes d'ancêtres pour cette existence originale et si différente de celle du reste de la parenté.

bondir avec l'agilité d'une sauterelle pour tordre le cou d'un insecte méfiant, voilà une autre condition de survie pour cette résidente des terriers.

Le bec-en-ciseaux noir

UN MAJESTUEUX LABOUREUR DE L'ONDE

En formation serrée, de grands planeurs marins émergent soudainement des derniers rayons du soleil déclinant. Deux ou trois balancements d'ailes amènent l'escadrille à fleur d'eau. Par groupes de deux, les oiseaux défilent en silence, puis inclinent leur bec rouge et noir démesuré pour fendre la paisible surface des eaux. Fidèles au rendez-vous, les laboureurs de l'onde viennent pêcher leur dernier repas en cette belle fin de journée d'été.

Apparition très attendue ! Nous sommes toujours étonnés par la grâce de ces sabres volants, chevaliers au regard sombre toujours prêts à en découdre avec d'indolentes victimes. Plus tactiles que visuels, les becs-en-ciseaux noirs tiennent l'affiche depuis des mois au-dessus d'une lagune anonyme. Sans jamais s'arrêter, ces casse-cou alignent front, joue, ventre et dessous des ailes blancs à quelques centimètres à peine de la surface. À plus de trente kilomètres à l'heure, ces as de la glisse aux voilures longues et pointues ébahissent par leur maîtrise de l'air. Aux premières loges, mon téléobjectif a peine à suivre leurs virages serrés dépassant les cinquante kilomètres à l'heure. Tout juste réussit-il à capter l'éclat rouge de leurs très courtes pattes, de leurs pieds aux orteils discrètement palmés, saillant comme une flamme derrière leur petite queue fourchue bordée de blanc.

Maintes fois, ils reprennent la manœuvre, ouvrant le bec et plongeant leur longue mandibule inférieure mince et tranchante sous la surface. Ils parcourent cinquante, cent mètres, puis s'élèvent pour recommencer dix fois, vingt fois le même manège. Soudain, le maxillaire supérieur, plus court, tressaille, se referme et émerge. Attiré par les dernières lueurs du jour ou aguiché par un patineur en extase, un crustacé ou un petit poisson vient de passer de vie à trépas. Moment inoubliable, cette dernière cène constitue la soirée d'adieu des visiteurs d'un été qui bientôt repartent pour leurs quartiers d'hiver échelonnés du golfe du Mexique aux lointaines terres du Chili ou de l'Argentine.

Là, de leur accent chantonnant, leurs admirateurs latino-américains les appellent *rayador,* « ceux qui tracent des lignes ». Mais il s'agit de lignes différentes de celles de l'onde ; ce sont des

rayures concentriques délicatement ciselées sur le sable par leur long bec pivotant autour du nid en forme de dépression – des bornes frontières qu'il vaut mieux respecter. De cent à deux cents couples conscients des flux capricieux des marées et des humeurs fluviales intempestives délimitent ainsi le périmètre de leur possession. Mosaïques discrètes de ces artistes de la mandibule qui enjolivent des îlots éloignés des maraudeurs. Seuls les goélands et les sternes auront le droit de les fréquenter.

À travers les Amériques, au temps des amours, quatre ou cinq œufs blanc bleuâtre ou blanc crème fortement tachetés de teintes sablonneuses égayent ces jolies marqueteries. Turbulents et pourtant bien discrets dans leur duvet beige panaché, les jeunes trahissent leur présence par leur vilaine habitude de lancer du sable aux copains, surtout ceux d'en bas.

Affamés, ils ouvrent bien grand leur bec jaune. Mais pour vraiment se rassasier, tous devront attendre de maîtriser parfaitement les exercices de la pêche à la volée. En guise de diplôme, ils verront se développer leur mandibule inférieure. Enfin, ils ressembleront aux chevaliers sans peur et sans reproche de l'ordre des *Black Skimmers,* capables de découper les ondes et de ciseler le sable.

Alors, les troupes du rase-mottes se rassembleront de nouveau sur une plage déserte, toutes orientées dans la même direction à la façon des moines pèlerins en méditation.

À la tombée du jour, au-dessus d'un étang anonyme, quelques becs-en-ciseaux noirs reprendront le spectacle des joutes acrobatiques et convaincront d'autres spectateurs ébahis qu'un coup d'épée dans l'eau n'est pas toujours vain...

Caractéristiques

Le bec-en-ciseaux noir : *Rynchops niger • Black Skimmer.* Dessus noir et dessous blanc ; long bec rouge et noir ; seul oiseau chez qui la mandibule inférieure est plus longue que le maxillaire supérieur ; longues ailes effilées. **distribution :** le long des côtes des États-Unis jusqu'au sud de l'Amérique du Sud ; présence rare au Québec.

Le moineau

DES AMIS QUI SE FRÉQUENTENT DEPUIS LONGTEMPS

« Par ici, Vif-Argent ! Futée, laisse la place ! Allez ! Dans ma main, Pétronille ! » Ainsi s'anime soudain notre errance, par un bel après-midi d'automne frisquet. Dans un parc d'une grande cité, une scène étonnante attire notre attention. Une bousculade de petits affamés entourent un inconnu en imperméable. Une vingtaine de moineaux, quelques merles et des pigeons virevoltent, s'élèvent brusquement. Ils obéissent à la voix et au moindre geste du personnage. À pas discrets nous nous rapprochons.

Manifestement, ils se connaissent. Lui, il les fréquente depuis près de vingt ans, eux, depuis leur naissance. Passe-Partout, la doyenne moinelle, vient de fêter son huitième anniversaire. Ils ont l'habitude de cet homme doux et calme, qui se prénomme Jean-Jacques.

Sans se retourner, sur un ton monocorde, il répond à nos interrogations muettes. Oui, ils préfèrent les croissants. Voilà, c'est noté dans le petit carnet sans âge. Patiemment compilés, les faits et gestes des jours et des semaines en sont les témoins infaillibles. Une richesse d'informations et d'anecdotes pour mieux connaître leur personnalité, leur comportement. Il murmure : « Voyez, là... Tiens ! Grassouillet, toujours le premier, et cette timide Isabella qu'il faut bien cajoler. Allez ! Sur mon épaule ! » Les autres se posent sur le sol, picorent.

Dans un buisson, il y a une annonce de noces car, dit-il, le moineau aime bien faire la fête en toute saison. Un couple s'excite et rassemble les convives qui piaillent pour souligner l'heureux événement et, je le devine, se faire des câlins.

Depuis des générations, le drôle de moineau a délaissé la vie campagnarde pour suivre l'homme dans ses bourgs et faubourgs. Attiré par des promesses d'abondance et de vie facile, il est devenu citadin. Quelle cervelle de moineau que de lier si innocemment son destin à l'homme d'aujourd'hui, épris de modernité et d'asepsie ! Obligé de manger comme un moineau, de quêter sa pitance rationnée, il voit maintenant ses effectifs décliner.

Et pourtant il est costaud ce *House Sparrow*. Agressif, disciple des bandes hiérarchisées, partout il pratique le piratage des espèces indigènes. Mais l'adaptation n'est pas acquise pour autant. En Amérique, les premiers émigrés venus d'Angleterre en 1850 succombent aux rudes conditions de vie du quartier new-yorkais de Brooklyn avant de recevoir des renforts importés d'Europe. Pour beaucoup d'admirateurs de Shakespeare, il s'agira d'une grande victoire visant à égayer ces terres nouvelles d'espèces choyées dans les œuvres du grand maître.

Exaspérés par les hordes d'insectes des grandes forêts du Nouveau Monde, les colons, les coureurs des bois et certains gouverneurs le confondent avec un insectivore insatiable. Ils oublient que ce granivore réputé ne s'intéresse aux chenilles, nymphes et autres chrysalides que durant la courte quinzaine du nourrissage des petits au nid.

Court intermède qui oblige le petit « pierrot » des Européens à se tourner rapidement vers la consommation de restes de table abandonnés dans les cités. Parfois, il croise un original qui, dans un parc, lui offre ses croissants et note le comportement de chacun dans un petit carnet. Au fils des ans, notre homme enregistre des différences, repère des traits de personnalité et des particularités d'attitude qu'il partage avec des inconnus venus d'Amérique. Allez, Bruno, Auguste et Bonaparte ! Poursuivez votre si ravissant vol pendulaire, ce charmant surplace au-dessus d'une bouchée de croissant !

Le lendemain, la solitude d'une vieille dame exilée d'un pays meurtri reprend le monologue de la veille, ou plutôt poursuit un émouvant échange avec ses petits protégés bien fidèles. Ils sont devenus amis à grands renforts de grains de riz qu'elle leur offre de sa main craquelée et chancelante. Parfois, un ami l'accompagne et, habitué à ses moineaux friquets, il préfère offrir des miettes de pain.

Dans l'anonymat des grandes villes, tous les jours, ces drôles de moineaux ont rendez-vous et ils échangent des confidences. À pas feutrés nous nous retirons, emportés par la foule de citadins pressés. Plus loin, beaucoup plus loin, en nous retournant nous croyons percevoir à travers le brouhaha urbain quelques échos insolites : « Par ici, Vif-Argent ! Calme-toi, Pétronille ! » Le hasard ménage parfois de bien belles surprises.

Caractéristiques

Le moineau domestique (pierrot) : *Passer domesticus • House Sparrow.* Dessus brun rayé, dessous grisâtre. **Le mâle :** plastron noir, dessus de la tête gris. **La femelle :** plus terne, sans plastron noir. **distribution :** cosmopolite. *Pages 168, 169, 170 (en bas), 171 et 172-173.*

Le moineau friquet : *Passer montanus • Eurasian Tree Sparrow.* Semblable au moineau domestique, se distingue par une tache noire sur les joues. Dessus de la tête brun. **distribution :** Eurasie, Australie, introduit aux États-Unis (Missouri, Illinois, Kentucky). *Page 170 (en haut).*

Depuis des générations, le drôle de moineau a délaissé la vie campagnarde pour suivre l'homme dans ses bourgs et faubourgs.

INDEX DES NOMS D'OISEAUX

table des matières

Achevé d’imprimer au Canada
sur les presses de Transcontinental Division Imprimerie Interglobe Inc.